改訂版

最短10時間で9割とれる 共通テスト漢文のスゴ技

寺師 貴憲
Takanori Terashi

JN058638

＊本書は、2020年に小社より刊行された『最短10時間で9割とれる共通テスト漢文のスゴ技』に最新の学習指導要領と出題傾向に準じてより手厚く解説するなどの加筆・修正を施し、令和７年度以降の大学入学共通テストに対応させた改訂版です。

はじめに

漢文って、読めそうなのに読めないですよね。

漢文は、アルファベットだらけの英語と違って、見慣れた漢字で書いてあるわけですから、「もっと読めてもいいのに」と思うわけです。

まったくその通り。**そこそこ漢字を読めるなら、あと一歩です。**

漢文につい苦手意識を持ってしまうのは、①見慣れない表現（句形・句法）がある、②普段はひらがなで書いてある副詞が漢字で書いてある、③そもそも小難しい漢字が続出するから、なんです。

理由がわかれば対策は簡単です。**僕が「あと一歩」のお手伝いをします。**

この本は、①漢文に苦手意識を持っている人から、②選択肢を二つまでは絞《しぼ》れるのにそこから先がうまくいかない人、③ある程度は点数をとれているけど、なかなか安定しない人を対象としています。目標は、**解答時間10分で得点9割（できれば満点）**です。

じゃあ、どうするのか。気になりましたか？　では、「1時間目」を見てみてください。

寺師　貴憲

本書と「10時間」の使い方

本書は、共通テスト漢文で9割以上とる方法を、最短10時間でマスターする本です。それ以外の目的には適しませんので、あらかじめご了承ください。

10時間の配分は、みなさんの自由です。1日で一気に10時間を駆け抜けてみるのもよいですし、1日1時間で10日かけてじっくり着実に進めるのも有効です。

1時間分の学習内容は、大体16ページにまとめました。本文を読んで原理原則をつかみ、「ミッション」をクリアしていけば、自然と力がつく作りになっています。1時間ごとに武器やアイテムを獲得して、気がつけば「いつの間にか」レベルアップしていた、というイメージです。

本文は、単純明快！　苦手な人でもテンポよくサクサク読めるよう、論理的な文章にこだわっています。また、普段「なんとなく」「テキトーに」解いている手順を、徹底的に使いやすいようにメソッド化しました。

試験本番では、本書の手順通りに問題を攻略すれば、満点も夢じゃありません。

英語の場合、「単語」「文法」「長文読解」「リスニング」など、イチからいろいろ学ぶ必要がありますが、漢文は違います。なぜなら、「漢字」を知っているから！　覚えることは、英語に比べて格段に少ないです。本書で方法論をマスターしたら、あとは過去問を使ってスピードと精度を上げるだけ。原則として他の参考書は必要ありません。

ゴールが見えていないとヤル気が出ない人のために、本書の10時間で扱う内容を軽く紹介しておきます。

- 1時間目　**「共通テスト漢文」の急所、解き方のコツ**
- 2・3時間目　**強力な武器「句形」「副詞・ならでは語」**
- 4時間目　**「熟語」で語彙力を強化**
- 5～7時間目　**「主語・目的語」「反語・二重否定」「対句」**
- 8～10時間目　**「説明問題」「詩」「最終問題」対策**
- 実践演習　**「実践演習」で総復習**

ここまでくれば、解けない問題なんてありません。

なお、今回改訂版を作るに当たっては、過去問をまた徹底的に分析したうえで、問題を入れかえ、付録を見なおし、空欄補充問題対策などを加えました。

気合いと集中力で、共通テスト漢文対策を乗り切ろう！

目次

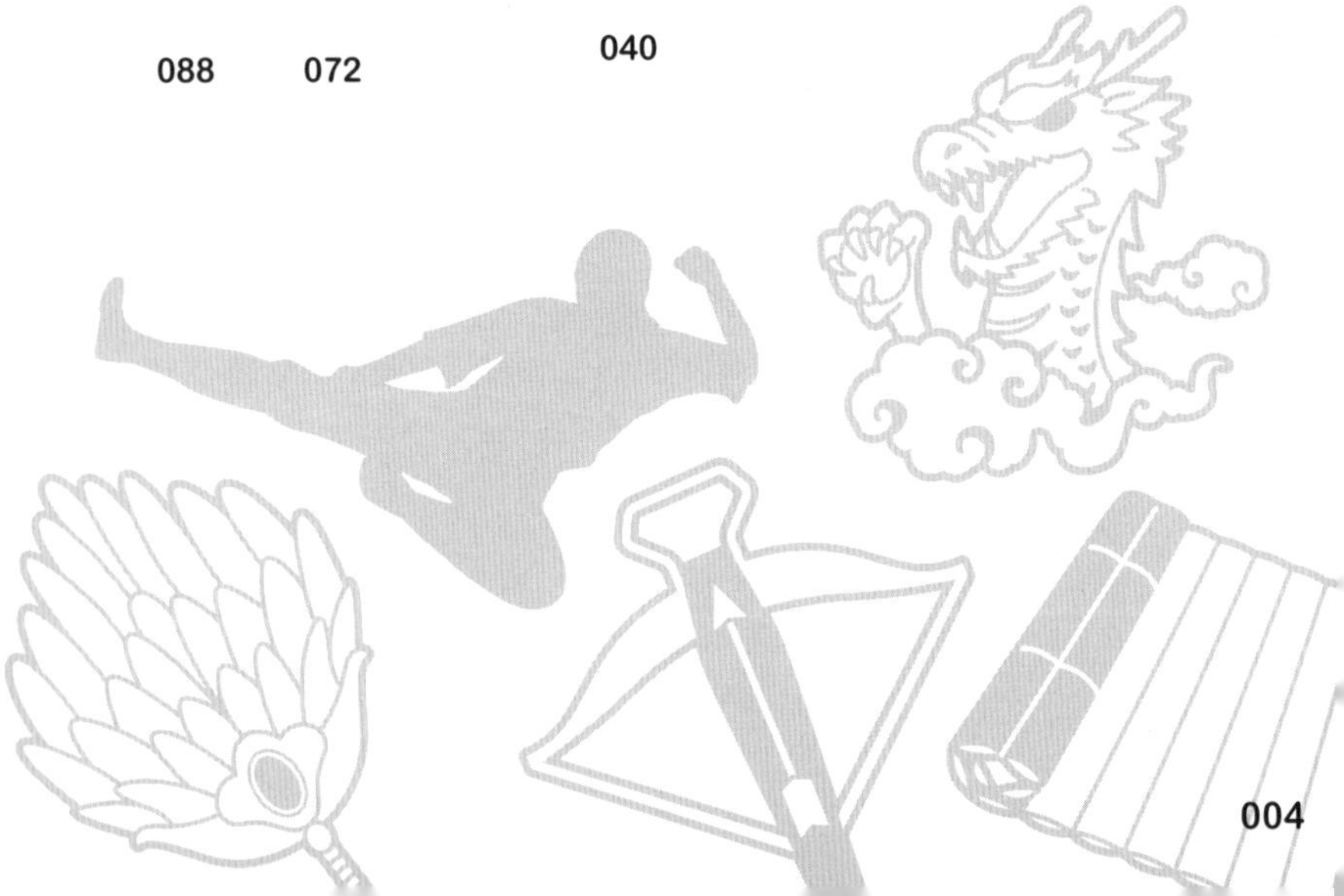

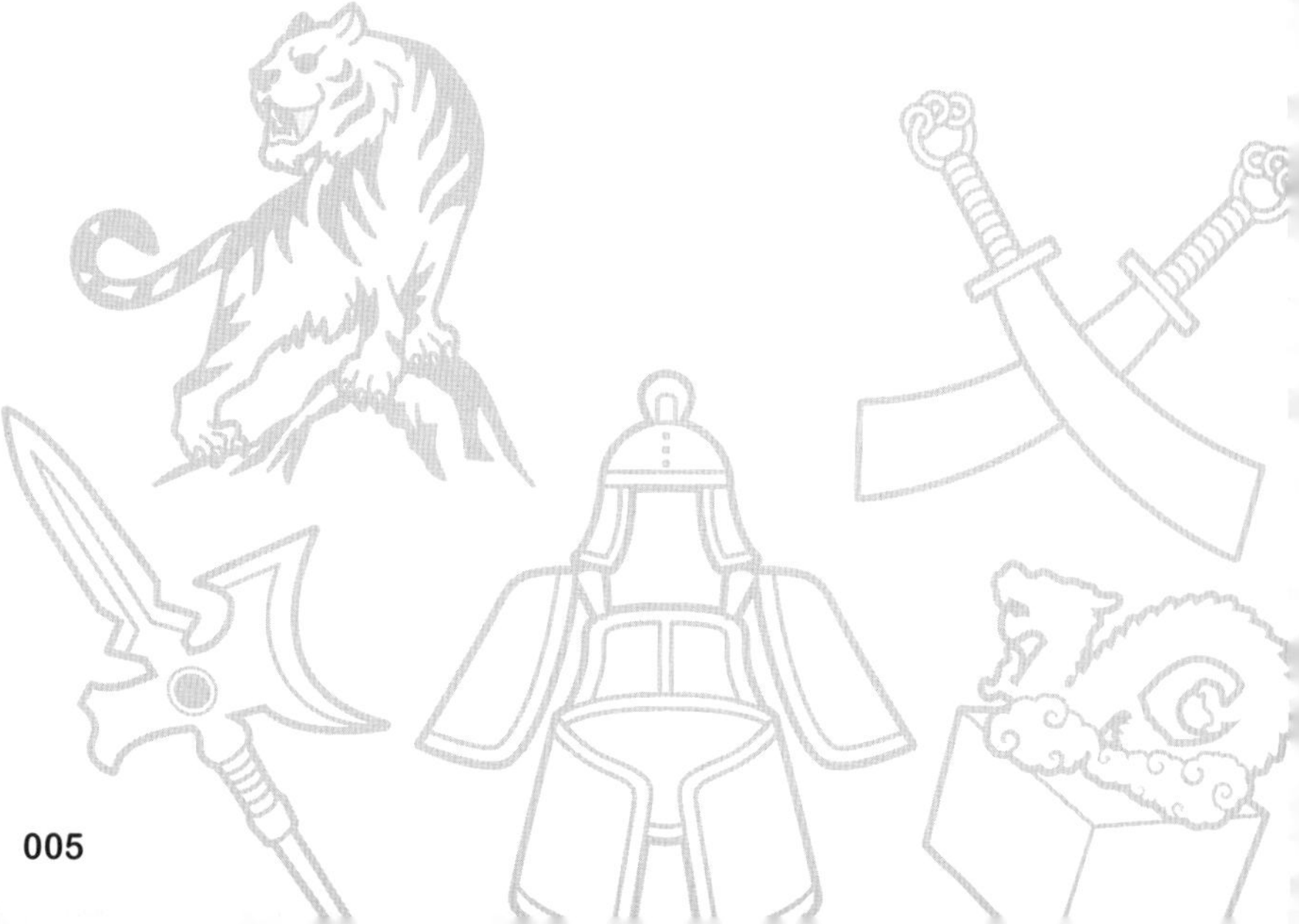

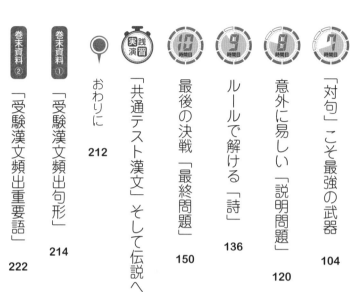

1時間目

強敵「漢文」の急所はココだ！

大丈夫。安心して。まったく点数がとれなくて泣きそうな人も、ある程度は点数がとれるけど伸び悩んでいる人も、点数がとれたりとれなかったりと波がある人も、点数はとれるけどやたら時間がかかる人も。

大丈夫。安心して、なんとでもなります。

◎共通テスト漢文にも戦い方がある

何も考えず、やみくもに「敵《共通テスト漢文》」に突っ込んでいくから、ケガをしているだけです。

戦い方があるんです。戦い方が。

句形さえ暗記すれば点数とれるんでしょ――とか言っているから、見事に返り討《う》ちにあうんです。句形の知識は確かに強力な武器になります。でも、それだけで強敵「漢文」に立ち向かうのは、**男前すぎます**。それでは、さっそくミッション。

ミッション 01

次の問いに答えよ。

制限時間 2分

昔、漢ノ（注1）明徳馬后ニ無シレ子。顕（注2）宗取リ二他ノ人《じん》子ヲ一、命ジテ養ハシメレ之ヲ曰ハク、「人子何必親生。但ダ恨ム二愛之不ルヲ一レ至ラ耳ト。」

（注）1　明徳馬后――後漢の第二代明帝（顕宗）の皇后。第三代章帝の養母。

2　顕宗取二他人子一、命養レ之――顕宗が他の妃《きさき》の子を引き取って、明徳馬后に養育を託したことをいう。

問　傍線部「人子何必親生」の解釈として最も適当なものを、次の①～⑤のうちから一つ選べ。

難易度 ★☆☆☆

① 子というものは、いつまでも親元にいるべきではない。
② 子というものは、必ずしも親の思い通りにはならない。
③ 子というものは、どのようにして育ててゆけば良いのか。
④ 子というものは、自分で産んだかどうかが大事なのではない。
⑤ 子というものは、いつまでも親の気を引きたいものだ。

ミッション 01 解答 ↓ 正解は 4

解けましたか？

え？ 句形の知識が足りないから解けなかった？ ああ、そうですか。それでは、傍線部で使われている句形を紹介します。

何《なんゾ》――《セン（ヤ）》 ＝「何ぞ―せん（や）」〈どうして―しようか〉〈―しない〉

何《なんゾ》――《スル（ヤ）》 ＝「何ぞ―する（や）」〈どうして―するのか〉

で、解けましたか？ 句形を紹介されても、何の手助けにもなりませんでしたね。句形を暗記するだけでは足りないな、と少しは実感できたでしょう。

それでは、戦い方を伝授。

戦い方 その①　本文を本気で読む

つまり、訳せってことです。当たり前すぎて驚きますよね。でも、本文に目を通しただけで「読んだことにする」人がものすごく多いんです。単に「昔、漢の明徳馬后《めいとくばこう》に子無し。顕《けん》宗《そう》他の人子を取り、命じて之を養はしめて曰《い》はく、『人子何必親生。但《た》だ愛の至らざるを恨むのみ』と」と読み下しただけで、なんとなく意味もわかった気になるわけです。

じゃあ、そのまま選択肢を見て解いてみてください。

解きやすくなりましたか？　頭の中がフワフワしてますよね。

それでは、傍線部の前後を**直訳してみてください**。おっと、**注をよく見て**。

注は解答のヒントだと心得よ！

注を踏まえて直訳していきます。おっと、注意点をもう一つ。

主語・目的語を補え！

それでは、直訳。目的語などを補っただけで、書き下し文とほとんど変わりません。

【直訳】昔、漢の（顕宗の皇后である）明徳馬后には子どもがいなかった。顕宗は他の（妃の）子を引き取って、（明徳馬后にその子を）養育するように命じ、（彼女に）言った、「人子何必親生。ただ愛が至らないことを恨むだけだ」と。

顕宗は、子どもに恵まれなかった妻に、自分が他の妃に産ませた子を与えて、その子を育てるように命じたわけです。……で、正解は？　ずいぶんと簡単になりましたね。少し情報を補いつつ直訳しただけなのに。

これをこの本では「**本気読み**」と呼ぶことにします。本気出して読む、いま読めないのはまだ本気出していないだけ、というわけです。

解説

繰り返しますが、顕宗は、子どもに恵まれない皇后に、別の妃に産ませた、彼女とは血のつながりのない子を与えて、「この子を自分の子どもとして育てるように」と命じました。傍線部はその直後のセリフです。

①子というものは、いつまでも親元にいるべきではない。⬆そんな理由で？
②子というものは、必ずしも親の思い通りにはならない。⬆子育てアドバイス？
③子というものは、どのようにして育ててゆけば良いのか。⬆子育て相談？
④子というものは、自分で産んだかどうかが大事なのではない。⬆**正解！**
⑤子というものは、いつまでも親の気を引きたいものだ。⬆子育てアドバイス？

正解は「(この子を自分の子として育てるように。)子というものは、自分で産んだかどうかが大事なのではない」とある④。彼女に他の妃の子を育てさせるという**文脈を正しく踏まえています**。その他の選択肢はバカバカしいです。例えば、①。「この子を自分の子として育てるように。子というのはいつまでも親元にいるべきではないからな」。皇帝がそんなことを本気で言うなら、国中の子どもを親元から引き離さなければなりません。

注をしっかり読んで、他の妃に産ませた子を皇帝が皇后に育てるよう命じたという文脈をとらえれば、問題は解けました。**本文に目を通すだけで満足し、注を軽視して、内容を本気で読み取ろうとしていないから、うまく解けないわけです。**

え？　そんなにしっかり読んでいる時間はない――ですって？　あははは。それは二つの点で大きな誤解をしています。

一つ。時間に追われて、何も考えず、やみくもに問題を解こうとしているから、時間がかかります。選択肢を上から下まで何度も読み、しかもどれが正解か確信が持てず、「二つまでは絞《しぼ》れたんだけど……どっちだ？　どっちが正解なんだ？」などと悩み苦しみ、いつまでも答えを一つに絞りきれないから、時間がかかるんです。

もう一つ。「時間がない」なんて言い訳にもなりません。しっかり読んで問題を解いて、かつ時間内に収めるんです。毎年、生徒「フィーリングで解いたらダメですか」、僕「点がとれるならいいですよ」、生徒「点はとれません……」、僕「じゃあ、ダメです」、生徒「でも、**時間がないんです**」という会話をしてますが、フィーリングで解いたら点数は伸びないし、ある程度とれても**安定しません。** **時間がないなら、時間を作ればいい**んです。

じゃあ、どうやって時間を作るのか――それでは、戦い方その②・その③です。

戦い方 その②　入念に準備をしておく＝事前に武器を装備しておく

戦い方 その③ 敵の急所を突く＝設問の攻略法を身につける

本文を本気で読んだら時間がかかるのは当たり前です。

時間短縮は、**いかに多くの問題を「本気読み」ナシで解くか、いかに多くの問題を本文を読まずに瞬殺するか**にかかっています。

そのためには、試験会場という戦場におもむく前に、**強力な武器を装備し、敵を攻略する戦術を身につける**必要があります。

敵軍が騎兵《きへい》中心で編制してくるなら、こちらは**弩**《ど》（射程距離400メートル超えのボウガン）と長柄《ながえ》の**大斧**《おおおの》（長さ3メートル・重さ5キロ）を装備します。敵騎兵が自陣に近づく前に弩の斉射《せいしゃ》でダメージを与え、接近戦に入ると同時に、大斧をふるって敵騎兵の馬脚を斬《き》り落とします（実際に宋《そう》軍が採用した戦術で、金《きん》軍の騎兵を大いに苦しめました）。

共通テスト漢文でも同じです。強力な武器（句形や副詞の知識）を装備し、戦術（問題の解き方）を身につければ、敵（共通テスト漢文）を打ち破ることができます。

それでは、実際に戦術（問題の解き方）を見てみましょう。

反語・二重否定は必ず言いかえよ！

反語とは、疑問の形を借りた否定文で、「貝の仲間とはいえ、**どうして**カタツムリを食べられ**ようか**（いや**ムリ**）」というアレです。ここが**共通テストの急所**です。ほかには目もくれず、徹底的に疑問・反語に集中します。**選択肢を二つ三つ消去できます**。詳しくは、6時間目でじっくりやります。さて。

疑問を見つけたら、とりあえず反語と見なし、否定文に言いかえます。

言いかえ方は簡単。

疑問詞を「不」に置きかえる、あるいは、「不」を加える。

（例）**何《ソ》必《ズシモ》** ⬇ **不必《ズシモ》**　**可《ベケン》レ焦《ル》乎** ⬇ **不レ可《カラ》レ焦《ル》**

選択肢を見る前に、句形の知識（読み方・訳し方）を思い出せ！

傍線部を否定文「人子**不必**親生」に言いかえた結果、「不必」という部分否定の句形が見えました。そこで、句形の知識（読み方・訳し方）を思い浮かべます（え？　思い浮かべられないですって？　大丈夫ですよ。覚えてしまえばいいんです。覚えてしまえば）。

不㆓必ズシモ用言㆒セ＝「必ずしも用言せず」

①〈必ずしも用言するとは限らない〉

②〈用言する必要はない〉

これを踏まえれば、「不必親生」は「**必ずしも**生む**とは限らない**」か「生む**必要はない**」と解釈できるはずです。それでは、選択肢を見てみてください。

①子というものは、**いつまでも**親元にいる**べきではない**。⬆「不必」と合わない

②子というものは、**必ずしも**親の**思い通り**には**ならない**。⬆「不必」とは合う

③子というものは、**どのようにして**育ててゆけば**良いのか**。⬆「不必」と合わない

④子というものは、自分で産んだかどうかが**大事なのではない**。⬆**正解！**

⑤子というものは、**いつまでも**親の気を引き**たいものだ**。⬆「不必」と合わない

②は、「不必」の訳とは合うけど、「生む」と合いません。④は、わかりづらいけど、「（自分で）産む必要はない」＝「自分で産んだかどうかが大事なのではない」なので、問題はなさそうです。正解は④。

「反語の言いかえ」から「句形の知識を思い出す」というコンボで簡単に問題を解ける感じは伝わりましたか？　それに、「生」をそのまま「産む」と解釈している選択肢自体が一つしかなかったことにも驚きましたね。こんな例はこれだけではないんです。

傍線部（本文）の直訳に最も近いものが正解！

反語はまぎらわしい表現です。否定文に言いかえて、はじめてその正しいニュアンスをとれるんです。だから、**疑問を見つけたら、とりあえず反語と見なし、否定文に言いかえる、**という戦術が有効です。

また、解釈問題のとき、純粋に「文脈を踏まえて解釈できるか」ではなく、傍線部中の「句形・副詞・『ならでは語』（漢文ならではの意味を持つ語。詳しくは3時間目に）の知識を踏まえて解釈できるか」を試す傾向があります。要するに、**読解力よりも知識を試そうとするんです。**だから、「不必」＝読「必ずしも…ず」＝訳「必ずしも…するとは限らない」「…する必要はない」という知識を事前に頭に入れておくことで、**文脈に頼らずに問題を簡単に解ける**わけです。

そう。文脈に頼らない＝**本文を本気で読む必要がない**＝時間短縮です。

着眼点を変えれば、もっともっと時間短縮できます。句形さえ暗記すれば点数とれるんでしょ――とか言って、一つの武器（句形の知識）しか装備しないから、ほんの一瞬で解けるはずの問題に手こずることになります。弩《ど》しか装備しなければ、接近戦に持ち込まれたときにヒドイ目にあうのと同じです。

副詞を覚えて、妥協することなく訳す！

副詞とは、主に動詞や形容詞を修飾する言葉です。例えば、「能」「嘗」「暫」「已」などで、それぞれ「能《よ》く」「嘗《かつ》て」「暫《しばら》く」「已《すで》に」と読みます。読み方さえわかれば、なーんだ。普段からよく目にする言葉なので、特別に覚える必要を感じません。

ところが、この**副詞の知識が、句形に次ぐ強力な武器になります。**

親　「親《みづか》ら」〈自分で〉　（例）**親征　親政　親展**

傍線部には「親」＋「生（む）」とあるので、この「親」は副詞です。これがこの問題の**急所**になります。読「親《みづか》ら」＝訳「自分で」です。それでは、選択肢を見てください。

①子というものは、いつまでも**親元**にいるべきではない。 ⬆「親ら」と合わない
②子というものは、必ずしも**親の**思い通りにはならない。 ⬆「親ら」と合わない
③子というものは、どのようにして育ててゆけば良いのか。 ⬆「親ら」がない
④子というものは、**自分で**産んだかどうかが大事なのではない。 ⬆**正解！**
⑤子というものは、いつまでも**親の**気を引きたいものだ。 ⬆「親ら」と合わない

共通テストは、解釈問題のとき、傍線部中の「句形・副詞・『ならでは語』の**知識を踏まえて解釈できるか**」を試す傾向を持つので、「親」を見つけた瞬間、「どうせ『親ら』＝『自分で』と解釈できるかを試しているな」と思ってください。

驚くことに、「親ら」を「自分で」と解釈している選択肢は④だけ。正解は④。**瞬殺**です。「親」発見⬇選択肢の中から「親ら」〈自分で〉を探す⬇はい、正解。

そう。事前に武器（知識）を装備しておく＝**瞬殺できる**＝**時間短縮**です。

強力な武器（句形や副詞の知識）を装備し、戦術（問題の解き方）を身につければ、共通テスト漢文を楽々粉砕できるのです。**10分で9割も夢じゃあない**！

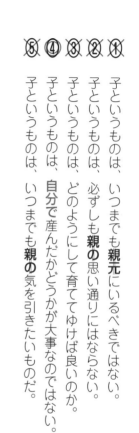

戦い方 その④ 問題に応じて解き方を変える

◎ズバリ法

正しい選択肢をピンポイントで選びます。大将だけを狙って討ち取る感じです。漢字（多訓《たくん》多義語《たぎご》・副詞）の意味を聞いてくる語彙《ごい》問題、あるいは、書き下し問題、解釈問題は、**知識を試すものがほとんど**なので、消去法に頼ることなく、ピンポイントで正解を選びます。時間がかかりません。

◎消去法

誤った選択肢を取り除き、最後に残った選択肢を正解とします。説明問題や最終問題で活躍します。時間はかかりますが、ズバリの選択肢を見つけられないときにはしかたありません。誤った選択肢は、**傍線部や本文からは読み取れない内容を含んでいる**ので、そうした余分な要素を見つけて排除します。

ズバリ法と消去法を使い分けることも時間短縮のコツです。

これから10時間後の目標は**10分で9割**。10分以内に解き、しかも得点率9割を狙う。隙《すき》あらば満点をかっさらうつもりで。**削れるところでは1秒でも時間を削り、必要なところではしっかり時間をかける**——これが10分9割の戦略です。

さて、1時間目は、**①本文を本気読みして文脈で解く ⬇ ②反語の処理&句形の知識で解く ⬇ ③副詞の知識で瞬殺する**、という三つの解き方を紹介しました。

装備する武器（句形や副詞の知識）で解き方が変わりましたね（知識がない場合は最も時間がかかる①、句形の知識しか身につけていない場合は②、副詞の知識も身につけている場合は瞬殺できる③）。読み方があること（注を活用する、主語・目的語を補う）や、解き方があること（反語・二重否定は必ず言いかえる）もわかりましたね。

この時間では軽く触れただけですが、これから一つずつ詳しく解説します。敵を知り尽くした僕が、みんなを立派な武将に鍛え上げてみせます。2・3時間目で強力な武器を配布して使い方を伝授し、4時間目ではみんなのステータスを強化します。5時間目以降は戦術の指南。そして最後に模擬戦です。10時間後、みんなは**関羽**《かんう》（智勇を兼ね備えた名将。のち神）並みの豪傑《ごうけつ》に生まれ変わっているはずです。

ちなみに、2時間目以降で説明するポイント探しをメソッド化すると、こんな感じです。

◎**「七大点」を見つけろ**

共通テストは、やみくもに漢文を読めるかどうか試してくるわけではありません。①**句形**を理解しているか、②**副詞**・**「ならでは語」**を正しく訳せるか、③**多訓多義語**の意味をわかっているか（だいたい「熟語で言えば何？」「訓読みすれば何？」と聞いてくる）、④**主語**・**目的語**を把握できているか、⑤**代名詞の指示内容**をとらえられているか、⑥**反語**・**二重否定**を混乱せずに解釈できるか、⑦**対句**を踏まえて読んだり訳したりできるか——といった狙いがしっかりあります。それを逆手に取ります。

ここが**急所**です。**この「七大点」を狙います**。書き下しや解釈問題では傍線部中に**七大点**を探し、説明問題では傍線部の前後に**七大点**を探し、最終問題では本文ラスト数行に**七大点**を探します。主語や代名詞の指示内容をダイレクトに聞いてくることもあります。知識をつけ、場数を踏めば、簡単に七大点を見つけられるようになります。もし見つけられなければ、「コピペ探し」というスゴ技を使います。

◎コピペ探し

「まちがい探し」ならぬ「同じところ探し」です。共通テストは、選択肢の中で同じ言い回しを2回・3回と繰り返します。つまりコピー&ペーストを繰り返すのです。

例えば、「子は真に是れなるか」の解釈の場合、「あなたはまさにその人ではないか」「我が子はまさにその人だろうか、いや、そんなはずはない」をベースに、あとは組み合わせを変えて残り三つの選択肢を作ります。こんな感じです。

① **我が子**はまさにこれにちがいない。←論外（「是れなるか」と無関係）
② あなたはまさに**その人だろうか**、**いや、そんなはずはない**。←反語の解釈
③ あなたはまさにその人ではないか。←疑問の解釈
④ **我が子**がまさに**その人だろうか**、**いや、そんなはずはない**。←反語の解釈
⑤ **我が子**がまさにその人ではないか。←疑問の解釈

選択肢を比較すれば、「あなた／我が子」の二択と、「これにちがいない／その人ではないか／その人だろうか、いや、そんなはずはない」の三択の組み合わせになっています。あとは知識の出番。「子」は「あなた」、「是れなるか」は疑問なので、正解は③。

2時間目

手軽でオイシイ「句形」の魅力

◎句形の知識は最強の武器

まずは問題。

問　「受命之符、合在於此」の書き下し文として最も適切なものを選べ。

①　受命の符、合して此《ここ》に在り

②　受命の符、此に在るに合す

③　受命の符、合《まさ》に此に在るべし

④　受命の符、此《こ》れと合ふこと在り

⑤　受命の符、合に此に在らんとす

「えー、選べるわけないじゃん。文脈がわからないし……」と思った人、そんなことないですよ。**見た瞬間、答えを出せます**。それに、前後の文章がわかったところで、ねえ。

そもそも、選択肢をそれぞれ訳せますか？「受命の符」には「天命を受けた証し」などと注があるはずなので、あとは文字面《もじづら》的に、①が「証しが符合してここにある」、②が「証しがここにあるものと符合する」、③が「証しがここにあるはずだ」、④が「証しがこれと符合した」、⑤が「証しがここにあるだろう」になりそうです。

で、正解は？

……まあ、そんな感じですよね。訳がわかったところでフワフワです。そもそも前後の文章を見たところで、ねえ。前後の文章の内容もよくわからず、フワフワしてますから、結局、よくわからないまま答えを選ぶことになるだけです。

ところが、句形の知識があれば話は別。「合」は再読文字の一つで、実は

「合《まさ》に…べし」と読む！

と知っていたとしましょう。さあ、もう一度、選択肢を見て。ね、**瞬殺**です。正解は③。

みんなもやんわり思っているとおり、**句形の知識は最強の武器**。みんなが句形の知識を身につければ、鬼に金棒、**関羽《かんう》に青竜偃月刀《せいりゅうえんげつとう》**。襲《おそ》いかかってくる選択肢をバッサバッサと斬《き》り伏せられます。

◎句形って何？

句形というのは、まさに句の形です。

使ニ人用言一＝読「人をして用言せしむ」＝訳「人に用言させる」

①「使―…」の形のとき、②「使《ム》ニ―《ヲシテ》…《セ》一」と返り点・送り仮名をつけ、③「―をして…せしむ」と書き下し、④「―に…させる」と訳す、という一連のルールを指します。

英語構文みたいなもので、こういう句形のときはこう読んでこう訳す、という公式だと思ってください。巻末資料として、厳選に厳選を重ねた重要句形の一覧を用意したので、**とりあえず暗記してください。**話はそれからです。

「若―」＝読「若《も》し―ば」＝訳「もし―ならば」、「以―為…」＝読「―を以て…と為す」＝訳「―を…にする・―を…と見なす」というレベルでOKです。さすがに目を通しただけで頭に句形が焼きついて二度と消せないような教材は作れないので、時間をかけて地道に覚えてくださいね。

ミッション 02

次の問いに答えよ。

制限時間 1分

難易度 ★☆☆☆

問 「有蛇螫殺人、為冥官所追議、法当死」の返り点の付け方と書き下し文の組み合わせとして最も適当なものを、次の①～⑤のうちから一つ選べ。

① 有㆑蛇螫殺㆑人、為㆔冥官所㆓追議㆒、法当㆑死
蛇有りて螫《か》みて人を殺し、冥官の追議する所と為《な》り、法は死に当たる

② 有㆑蛇螫殺㆑人、為㆓冥官所追議㆒、法㆑当㆑死
蛇有りて螫みて人を殺さんとし、冥官の所に追議を為すは、死に当たるに法《のつと》る

③ 有㆑蛇螫殺人、為㆓冥官㆒所㆓追議㆒、法㆑当㆑死
蛇有りて螫まれ殺されし人、冥官と為りて追議する所は、死に当たるに法る

④ 有㆓蛇螫㆒殺人、為㆔冥官所㆓追議㆒、法㆑当㆑死
蛇の螫むこと有らば殺す人、冥官の追議する所の為《ため》に、死に当たるに法る

⑤ 有㆑蛇螫殺人、為冥官所㆓追議㆒、法当㆑死
蛇有りて螫まれ殺されし人、為に冥官の追議する所にして、法は死に当たる

解けましたか？　え？　「解けるわけないじゃん。文脈がわからないし……」ですって？　いやいや。**文脈なんか頼りにならない**ですよ。

本文は、役人の厳しい取り調べを受けて黄州《こうしゅう》に流された蘇軾《そしょく》が、その後、復権して都に戻る途中、ばったりそのときの役人と出くわした際の話です。自分をヒドイ目にあわせた憎き役人を目の前にして、蘇軾が最初に放った言葉があの部分。「コラ、ボケ、カス。てめえ、オレをこんなにヒドイ目にあわせやがって！」と怒鳴るかと思いきや、「あんな、蛇《へび》がおってな、そいつ、人を嚙《か》んで殺してん。それでな、地獄《じごく》でな……」と急に蛇の話をしはじめたわけです（聞かされてる役人、どんな表情をしていたんでしょう）。

ね、文脈なんか頼りにならないでしょ。

それでは、どうすればよいのか。もちろん、青竜偃月刀《せいりゅうえんげつとう》をかまえます。こういうときこそ、**句形の知識に頼って問題を解きます。**

《1》まずは、傍線部の中に、暗記した句形がないかどうか確認する。

有蛇螫殺人、為冥官所追議、法当死

受身の句形「為—所…」と、再読文字「当」（らしきもの）があります。まず、これを見つけます。

《2》句形の知識に従って、訓読や書き下し方を思い出す。

為《なル》ニ—ノ所トレ…スル ＝「—の…する所と為《な》る」〈—に…される〉

当《まさニ》ベシレ用言ス ＝「当《まさ》に用言すべし」〈用言しなければならない〉

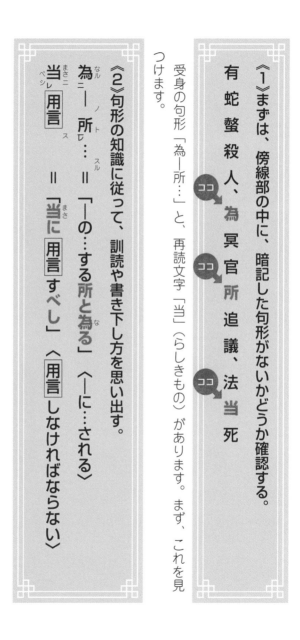

《3》選択肢の中から、正しい読み方をしているものを探す。

①…冥官の追議する所と為り、法は死に当たる 句形どおり！
②…冥官の**所に**追議**を為す**は、死に当たるに法る
③…冥官**と為りて**追議する**所は**、死に当たるに法る
④…冥官の追議する**所の為に**、死に当たるに法る
⑤…**為に**冥官の追議する**所にして**、法は死に当たる

引用部がのっけから長いうえ、選択肢の一つ一つも、「返り点の付け方」に「書き下し文」まで聞いているので、ずいぶんと長いです（正直、うんざりしましたね）。

でも、**見るべきところは「為―所…」という受身の句形が正しく読まれているかどうか、その一点だけでした。**再読文字「当に…べし」っぽい箇所もありましたが、すべての選択肢が「当たる」と読んでいるので、これは無関係。

なんと、いきなり選択肢を一つに絞《しぼ》れました。正解は①。

ミッション 03

次の問いに答えよ。

制限時間 1分

難易度 ★☆☆☆

問 「惟意所欲適」の返り点の付け方と書き下し文の組み合わせとして最も適当なものを、次の①～⑤のうちから一つ選べ。

① 惟意所㆓欲適㆒　惟《た》だ意の欲して適《かな》ふ所にして

② 惟意所欲㆑適　惟だ意《おも》ふ所に適《かな》はんと欲して

③ 惟意㆑所㆑欲適　惟だ欲する所を意《おも》ひ適《ゆ》きて

④ 惟意所㆑欲㆑適　惟だ意の適《ゆ》かんと欲する所にして

⑤ 惟意㆑所㆓欲適㆒　惟だ欲して適《ゆ》く所を意《おも》ひて

ヒント

まず傍線部を見て句形を探します。問の「　」のところです。一つとは限りません。まだ選択肢は見ないように。選択肢を先に見ると、単に違和感がないというだけで、実は語順的・句形的にありえない読み方でも、ありそうな気がしてくるからです。さあ、どれが正解ですか？

1時間目
2時間目
3時間目
4時間目
5時間目
6時間目
7時間目
8時間目
9時間目
10時間目

ミッション 03 解答 ↓↓↓↓↓↓↓↓↓↓↓↓↓ 正解は 4

ポイントチェック

惟 意 所 欲 適

ココ ココ

句形は二つ。まず「所」の句形は、「―所レ…」で、読「―の…する所」訳「―が…するもの（こと）」。次に「欲」の句形は、「欲レ…」で、読「…せんと欲す」訳「…しようとする」「…したいと思う」「…するだろう」。

解説

選択肢上段の「返り点の付け方」に着目すると、効率的に選択肢を吟味できます。

まず「欲」は返読するので、**左下に返り点が付きます**。選択肢を見ると、「欲レ」は②と④のみ。また「所」も返読するので、**左下に返り点が付きます**。②の「所」には返り点がないので消去。正解は④。

①（×） 惟意所㆓欲×適㆒　⬆「所」に返り点**あり**○／「欲」に返り点なし×

②（×） 惟意所×欲㆑適　⬆「所」に返り点なし×／「欲」に返り点**あり**○

③（×） 惟意㆑所㆑欲×適　⬆「所」に返り点**あり**○／「欲」に返り点なし×

④ 惟意所㆑欲㆑適　⬆「所」に返り点**あり**○／「欲」に返り点**あり**○　**正解！**

⑤（×） 惟意㆑所㆓欲×適㆒　⬆「所」に返り点**あり**○／「欲」に返り点なし×

下段の書き下し文を見るまでもなく、正解を出せます。

もちろん、下段の書き下し文の「意の…する所」に着目すれば、①と④に絞れますし、「…せんと欲す」に着目すれば、②と④に絞れるので、こちらのルートでも正解の④にたどりつけます。

上段の返り点に着目した場合、**五つの選択肢をパッと見て確認できる**ので、解答の効率はこちらが上です。この手が使えるときは使ってみてください。

最後に、訳して文脈に合うか確認せよ。

訳してみて**不自然な日本語になるか、まったく文脈に合わない場合は誤り**です。選び直し。

逆に、すんなり訳せたら、それが正解です。この最後の作業を忘れずに。

2 時間目のスゴ技!!

句形の知識で瞬殺せよ

ミッションを二つこなしてもらいましたが、びっくりするくらい簡単でしたね。

句形の知識さえ身につけてしまえば、瞬殺できる問題が増えるんだ！

と確信したはずです。

共通テスト国語の試験時間は90分。そのうち漢文にあてられるのは最大でも20分。評論や古文に時間をかけたいなら、**漢文を10分で解き、なおかつワンミス以内に収める**、という過《か》酷《こく》な条件をクリアしなければなりません。

でも、**瞬殺できる問題が増えれば、それも可能ではないか**、と希望が持てますよね。

しかもです。まずは覚えるべき英単語や英語構文の数々を思い出してください。……あまりの多さにめまいがしましたね。はい。じゃあ、次に巻末資料の句形や重要語の一覧を見て。ほら、少ないでしょ！ **少ないでしょ！ 希望が見えてきましたね！**

ミッション 04

次の問いに答えよ。

制限時間 5分

問 「夫人之有一能而使後人尚之如此」の返り点の付け方と書き下し文との組合せとして最も適当なものを、次の①～⑤のうちから一つ選べ。

難易度 ★★☆☆☆

① 夫人之有㆓一能㆒而使㆓後人㆒尚㆑之㆑如㆑此
夫《か》の人の一能有りて後人を使ひて此《か》くのごとく之を尚《たつと》ぶ

② 夫人之有㆓一能㆒而使㆓後人尚㆑之㆑如㆑此
夫の人を之れ一能有れば而《すなは》ち後人をして此くのごときに之《ゆ》くを尚ばしむ

③ 夫人之有㆓一能㆒而使㆓後人尚㆑之如㆑此
夫《そ》れ人の一能有りて後人をして之を尚ばしむること此くのごとし

④ 夫人之有㆘一能㆒而使㆓後人尚㆑之如㆖此
夫れ人を之れ一能にして後人をして之を尚ばしむること此くのごとき有り

⑤ 夫人之有㆘一能㆒而使㆓後人㆒尚㆑之如㆖此
夫れ人の一能にして後人を使ひて之を尚ぶこと此くのごとき有り

ミッション 04 解答 ↓↓↓↓↓↓↓↓↓↓↓↓ 正解は 3

ポイントチェック

まずは、じっくり眺めて句形を探します。

夫人之有一能而使後人尚之如此

すると、句形が四つも見つかります。上から見ていくのがセオリーですが、**自分がよく知っている句形から入ってもいい**です。

解説

例えば、使役「使」をよく知っている場合、形「使…V」＝読「…をしてVせしむ」＝訳「…にVさせる」を踏まえ、「使後人尚之」を「後人をして之を尚ばしむ」と読む選択肢をまず探します。この段階で「後人を使ひて」と読む①・⑤を消去。残る②・③・④のどれかが正解です。

次に「如此」は、形「如此…」のとき、「此くのごとく…」と読みますが、「…如此」のときは「…すること此くのごとし」と読みます。「尚之**如此**」を「**此くのごとく**之を尚ぶ」とか「**此くのごときに**之を尚ぶ」とは読みません。これで①・②を消去。

次は「有」「而」ではなく「之」に着目します。

体言 之…… 体言 の…… 例 草原**之**《の》風／鳥**之**《の》将《まさニ》死《セント》…

用言 之 之を 用言 す 例 百《タビ》発《シテ》而百《タビ》中《あツ》**之**《ニ》

「之」は意外に頻出です。「体言之……」の場合、「…」部分が体言でも用言でも、この「之」は「の」と読みます。また「用言之」の場合、「之」から用言に返り、「之を（に・と）用言す」と読みます。「人**之**……」は、「人」が体言なので、読み方は「人の……」。これで「人を之れ」と読む②・④を消去。正解は③。

最後に**訳して意味が通じるかどうか確認します**。訳は「そもそも人に一能があるだけで後世の人にこのように彼を尊敬させるのだ」。少したどたどしいけど、問題なし。

ミッション 05

次の問いに答えよ。

制限時間 1分

況ンヤ欲スル三深ク造《いた》ラント二道徳ニ一者ヲ邪。

問 右の「況欲深造道徳者邪」の解釈として最も適当なものを、次の①〜⑤のうちから一つ選べ。

難易度 ★★☆☆☆

① ましてつきつめて道徳を理解しようとする者がいるのだろうか。
② まして道徳を体得できない者はなおさらであろう。
③ それでもやはり道徳を根付かせたい者がいるであろう。
④ ましてしっかりと道徳を身に付けたい者はなおさらであろう。
⑤ それでも道徳を普及させたい者はなおさらではないか。

ヒント

こちらは、**直訳がそのまま正解**になっている事例です。こんなこともあります。

ミッション 05 解答 ⬇ 正解は 4

「況」は抑揚形で、訳は「まして…なおさらだ」。正解は②・④のどちらか。「欲」は願望・推量の句形で、訳は「…しようとする」「…したいと思う」「…するだろう」。ここで「…体得できない」の②が消えて、正解は④。

~~①~~ まして つきつめて道徳を理解**しようとする**者がいる**のだろうか**。 ⬆文末が疑問×

~~②~~ まして道徳を体得**できない**者は**なおさらであろう**。 ⬆抑揚は○

~~③~~ **それでも**やはり道徳を根付かせ**たい**者が**いるであろう**。 ⬆抑揚と無関係×

④ ましてしっかりと道徳を身に付け**たい**者は**なおさらであろう**。 ⬆**正解**！

~~⑤~~ **それでも**道徳を普及させ**たい**者はなおさら**ではないか**。 ⬆抑揚と無関係×

句形の知識は最強の武器。手に入れられれば、瞬時に二択・三択に絞れます。ぜひ**最強の武器を手に入れてください**。なお「道徳に造《いた》る」の「造」は造詣の造で、「達する」「極める」を意味します。ここに着目しても「道徳を体得する／身に付ける」の②・④に絞れました。この点は4時間目で。その前に「**副詞・ならでは語**」を見ましょう。

3時間目

侮れない「副詞・ならでは語」のチカラ

今回もまず問題から。こちらは実際に共通テストで出題されたものです。

> **問** 「復」のここでの意味として最も適当なものを選べ。
>
> ① なお　② ふと　③ じっと　④ ふたたび　⑤ まだ

文脈は、「(自分の庭園に現れた)不思議な蝶を呼んだら扇にとまった。ついでその蝶を某氏の庭園で『復』見た」です。で、正解は? 「なお見た」「ふと見た」「じっと見た」「ふたたび見た」「まだ見た」、どれもいけます。さあ選択肢を見て。そう。何度も何度も。余計わからなくなりますよね。**文脈だけを見たら、答えは出ないんです。**

正解は④。なぜなら**「ふたたび」と訳す漢字だから**です。以上、終わり。

この「復《ま》た」のように、現代文ではほとんど使われないけれども、**漢文を読むうえでは、その読み方や訳し方を知っておくべき字**というのがあります。「復た」以外にも「忽《たちま》ち」「乃《すなは》ち」「若《も》し」「已《すで》に」「相《あひ》」「惟《た》だ」などなど。

共通テスト漢文は、こうした字の読みや意味をたずねてきます。

ですから、読み方や意味さえ知っていれば、瞬殺できる問題があるわけです。

2時間目では「**句形の知識さえ身につけてしまえば**、**瞬殺できる問題が増える**」と強調しました。句形は最強の武器。手に入れられれば、多くの選択肢をズバズバッと斬《き》ることができます。

この時間では、**もう一つの武器**を配りたいと思います。「復た」のような**副詞**、あるいは、「君子」「鬼」「城」など、漢文ならではの意味を持つ語＝**「ならでは語」**です。巻末資料として一覧（➡225ページ）を用意したので、**とりあえず暗記してください**。瞬殺できる問題や、少なくとも瞬時に二択・三択に絞《しぼ》れる問題が増えますよ。

◎副詞・「ならでは語」を見落とすな

副詞とは、「動詞や文全体を修飾しているもの」だと思ってください。「もし」とか「みだりに」とか「たまたま」とか、どこかで聞いたことのあるものが多いです。ところが、

若《も》し「もし」　妄《みだ》りに「いい加減に」　適《たまたま》「ちょうど」

と漢字で書かれると、読めないことがあります。また読めても訳せないことがしばしば。「ならでは語」も同じようなものです。

学者「学生」　丈夫「立派な男子」　城「まち」

見慣れているのに、いつもの意味とは異なります。「学者」が「学生」!?　知らなければ、誤訳していること自体に気づけません。**まずは一覧の暗記からはじめてください。**

次の問いに答えよ。

制限時間 1分

故雄語未《ダ》ルニ㆑了《をはラ》　故夫《モ》亦《タ》已《ニ》啼《ク》

問 右の「故雄語未㆑了　故夫亦已啼」の解釈として最も適当なものを、次の①～⑤のうちから一つ選べ。

難易度 ★☆☆☆☆

① 残された雄の鳴き声がまだやまないうちに、残された夫ももう涙を流している。

② ことさらに雄は鳴いて鳴き終わらず、だから夫もまだ涙を流し続けている。

③ 昔の雄の鳴き声がまだ終わらないのに、昔の夫もやがて涙を流そうとしている。

④ 年老いた雄は鳴きだしてとまらず、年老いた夫もふたたび涙を流し始める。

⑤ 昔なじみの雄の鳴き声はまだ終わっておらず、だから夫もまた涙を流すだろう。

ミッション 06 解答 ↓ 正解は 1

文脈がないので、不安でいっぱいでしたね。詩人の呉嘉紀《ごかき》が、死んだ妻を思って詠んだ詩の最後の二句です。同じく妻を失った燕《つばめ》と自分を重ね合わせています。なお、「故雄」が燕、「故夫」が呉嘉紀です。

《1》まずは、暗記した副詞・「ならでは語」がないかどうか確認する。

故雄語未レ了　故夫**亦**（ココ）**已**（ココ）啼

今回は副詞「亦」「已」に注目してみましょう。

《2》副詞・「ならでは語」の知識に従って、読み方や訳し方を思い出す。

亦《まタ》「また」＝「Aも…、Bもまた…」「やはり」「同じように」

已《すでニ》「すでに」＝「…した」「もう…している」

《3》選択肢の中から、正しい訳し方をしているものを探す。

① …残された夫も **もう**涙を流し**ている**。 ↑「已に」の訳どおり！

②× …だから夫も **まだ**涙を流し続けている。

③× …昔の夫も **やがて**涙を流**そうとしている**。 ↑未来形× 逆

④× …年老いた夫も **ふたたび**涙を流し始める。

⑤× …だから夫も **また**涙を流す**だろう**。 ↑未来形× 逆

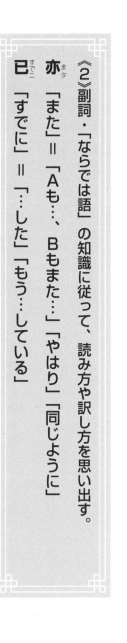

瞬殺でしたね。

実は問題文には、副詞「亦」「已」のほか、「故」（故《ゆゑ》に・故《ことさら》に・故《もと》など多くの読みと意味を持つ字）や再読文字「未」（読「未《いま》だ…ず」訳「まだ…ない」）といったポイントもありました。主武器《メインウェポン》の句形で斬《き》ってもいいのですが、今回は副武器《サブウェポン》の副詞のほうが効果的です。

「亦《ま》た」は「…もまた」「やはり」などと訳す副詞。すべての選択肢に「も」とありましたが、②に「まだ」、④に「ふたたび」とありました。どちらも誤訳。狙いすまして撃ち落とします。

「已《すで》に」は「もう…した」「もう…している」と訳す副詞。過去や完了を表します。「すでに」という読み方さえわかれば、意味も推測できます。で、「已に」を正しく解釈しているのは①のみ。正解は①。狙いすまして必殺の一撃。

句形の知識以外にも、同じくらい役立つ武器があるんだ！

と、少しだけ思ったはずです。

それでは、もう少しミッションを重ねて、この確信を深めていきましょう。

制限時間 1分

誠ニ有リレ罪、然レドモ亦タ有リレ功、可シトニ以テ自ラ贖《あが》フ一。

問 右の「誠 有レ罪、然 亦 有レ功、可ニ以 自 贖一。」の解釈として最も適当なものを、次の①～⑤のうちから一つ選べ。

難易度 ★☆☆☆☆

① 実際には罪がありますので、またすぐれた仕事をして、自分で罪を帳消しにすべきなのです。
② たしかに罪はあるのですが、私には功績もあって、自分自身で罪を償うことができます。
③ 結局は罪があるのですが、仕事の腕前によって、おのずと罪は埋め合わされるのです。
④ もし罪があったとしても、当然私の功名によって、自然と罪が許されるようになるはずです。
⑤ 本当は罪があるのですが、それでもあなたの功徳によって、私の罪をお許しいただきたいのです。

ミッション 07 解答 ↓ 正解は 2

ポイントチェック

副詞に狙いを定めます。副詞の怖さは、**油断して見落としてしまう点**です。例えば、

誠 有レ罪、然 **亦** 有レ功、可二以 **自** 贖一。

「誠に」「亦た」「自ら」がポイントでした。気づけましたか？「亦た」はともかく（二回目ですし）、「誠に」「自ら」は目の前にあるのに見落としがちです。どちらも**フツーすぎて**その存在に気づけません。まさかこんな字の訳を聞いてくるなんて！

いま悔しい思いをしている人、選択肢を見直してもいいですよ。待ってますから。

繰り返しになりますが、**傍線部中にポイントを探す**というスタンスが大事です。解く手がかりがあるって素敵ですよね。

誠《まことニ》「実際に」「本当に」「確かに」

亦《まタ》「Aも…、Bもまた…」「やはり」「同じように」

自《みづから》「自分で」「自分を」　自《おのづから》「自然と」「勝手に」

解説

「誠に」は、「実《まこと》に」「信《まこと》に」「真《まこと》に」と同じく、「実際に」「確かに」「マジで」「ガチで」という意味を持ちます。これで③「結局は」・④「もし」を撃ち落とします。

再登場の「亦た」は「…もまた」「やはり」を意味します。これを踏まえて直訳すれば、「マジで罪はありますけど、（私には）功績もまたあるんです」となります。これで②に狙いを定めて一撃。正解は②。ちなみに、①は「またすぐれた仕事をして…」が誤訳でアウト。⑤は「亦た」も「自ら」も訳出していないので論外。

副詞・「ならでは語」の知識をもう一つの武器に

漢文と言えば「句形」という印象があったと思いますが、

副詞・「ならでは語」も覚えれば、けっこう役に立つ！

と確信したはずです。

句形にばかり注目が集まりがちですが、ミッションをこなしてみてわかったように、「忽《たちま》ち」「乃《すなは》ち」「若《も》し」「已《すで》に」「相《あひ》」「惟《た》だ」など、共通テストでは**そもそも副詞の読みや意味が問われているわけです。**

これまでは、**こういった字の知識が問われていること自体に気づいていなかった**と思いますが、なんてもったいない！　ここで副詞・「ならでは語」の一覧を暗記すれば、君は句形の知識に加えてもう一つ強力な武器を手に入れられるのです。

ミッション 08

次の問いに答えよ。

制限時間 2分

問 「苟 近レ我、我 当レ図レ之」の解釈として最も適当なものを、次の①～⑤のうちから一つ選べ。

難易度 ★★☆☆☆

① どうか私に近づいてきて、私がおまえの絵を描けるようにしてほしい。
② ようやく私に近づいてきたのだから、私はおまえの絵を描くべきだろう。
③ ようやく私に近づいてきたのだが、どうしておまえを絵に描けるだろうか。
④ もし私に近づいてくれたとしても、どうしておまえを絵に描けただろうか。
⑤ もしも私に近づいてくれたならば、必ずおまえを絵に描いてやろう。

ヒント

句形や副詞・「ならでは語」に着目してください。送り仮名は最初から付いていません。なお、解釈問題では、傍線部に送り仮名がある場合とない場合があり、どちらの場合も**設問の漢文には送り仮名は付きません。**気をつけて。今回のように、送り仮名なしのときは、**漢文の読み方から問われています。**

ポイントチェック

ココ ココ

苟近レ我、我当レ図レ之

副詞の「苟」、それに再読文字「当」があります。

苟《いやシクモ》 ①「もし」 ②「とりあえず」「いいかげんに」 ③「どうか」

何はともあれ、ファーストチョイスは①「もし」です。②の場合は「苟《かりそめ》に」と訓読することもあります。③の場合は、文末が「…未然形＋ん」「…命令形」になり、「苟」を「苟《ねが》はくは」と訓読したりします。

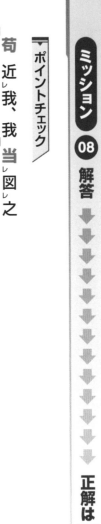

当レ一　「一しなければならない」「きっと一するだろう」

解説

まずは弩《ど》をかまえ、副詞の「苟」に狙いを定めます。①が「どうか」、②・③が「ようやく」、④・⑤が「もし」「もしも」になっています。この段階でほぼ④・⑤。①の「どうか」も、実は「苟」の訳にあるけど、続く「当」と合わないからアウト。

次に青竜偃月刀《せいりゅうえんげつとう》をかまえ、再読文字「当」をキッとにらみつけます。この字は、「一しなければならない」「きっと一するだろう」と解釈します。①の「一してほしい」と、③・④の「どうして一だろうか」は、この解釈に合わないからアウト。残る②・⑤のうち、②はすでに消えているので、正解は⑤。

副詞にせよ、句形にせよ、**読み方と訳し方を一緒に覚えておくことが大事**です。がんばって暗記しよう。見返りは大きいですよ。

◎句形と副詞と「ならでは語」と

強力な武器になるのは句形だけではありません。副詞・「ならでは語」も強力な武器になります。

そもそも共通テストは、問1・問2あたりで語彙力を問うことが多く、「徒」「固」「周」「乃」「復」「審」「即」「善」……が問われています。またミッションでも少し扱ったように、書き下し・解釈・空欄補充・説明問題でも、「夫」「之」「如レ此」「数」「衆」などがすでに問われています。

ここに挙げた例の読みと意味を答えられますか？　不安な場合は巻末資料（⬇222ページ）でぜひ確認してみてくださいね。

「城」（○まち／×とりで）、「丈夫・大丈夫」（○立派な男子／×頑丈・平気）、「君子」（○学徳にすぐれた人物／×君主）、小人（○つまらぬ人物／×こびと）、百姓《ひゃくせい》（○人民／×農民）、「左右」（側近・従者）、「書」（手紙）、「朝」（朝廷）、「野」（民間）といった「ならでは語」は、学習しておかなければ、自分が誤解していること自体に気づけません。繰り返しになりますが、まずは覚えるところからはじめてください。

副詞・「ならでは語」は、主に解釈問題・説明問題で活躍します。説明問題は8時間目に詳しく扱いますが、手順は似ています。

① まず傍線部の前後を見て、句形・副詞・「ならでは語」を探します。
② 見つけたら、武器（頭に入れた句形・副詞・「ならでは語」の知識）を取り出します。
③ そのあと、選択肢をチェック。

（本文）其《そ》の人**妄《みだ》りに**倉皇《さうこう》として亦た黄有りと謂《い》ふ。冥官《めいくゎん》大いに怒る。
（問題）傍線部「冥 官 大 怒」とあるが、その理由として最も適当なものを選べ。
（正解）⑤…その場しのぎの**いい加減なことを言う**その人の態度に腹を立てたから。

驚くことに、「妄りに」を正しく「いい加減に」と解釈している選択肢は正解の⑤だけでした。ほかは「わがままばかりを言う」「あいまいなことを言う」など。いずれも「妄りに…謂ふ」とは合いません。「妄りに」にさえ着目できれば、あっさり答えを出せました。

まさに強力。さあ、**新しい武器を手に入れてください**！

普段から「熟語」を意識せよ！

◎すべては漢字のおかげ

次の文章を読んでみてください。

Initium sapientiae cognitio sui ipsius

誰です？　せっかくのラテン語の文章を飛ばして、いきなりここを読んでいる人は。気持ちはわかりますけど（僕だって読者なら確実に飛ばします）。では、次の文章に挑戦。

今天晩上、很好的月光。我不見他、已是三十多年。今天見了、精神份外爽快。

不思議なもので、なんとなく意味はわかりそうです。中国語の文章なのに。

習ってもいない中国語の文章をあなたがそこそこ理解できるのは**漢字のおかげ**です。ラテン語の文章は、僕たちにとって単にアルファベットのかたまり。意味の推測がまったくできません。まるで暗号文です。でも、中国語の文章（魯迅《ろじん》『狂人日記』の一節）は、文法も発音もさっぱりわからないのに、眺めているだけでなんだか意味がわかります。

漢字、ありがとう！　君のおかげでブ厚い単語帳と格闘せずに済むよ！

そう感謝しましょう。みんなが語彙《ごい》力を増やす努力をほとんどしていないのに、漢文をある程度理解できるのは**漢字のおかげ**です。「君子」「小人」「寡人」「城」など、覚えるべき単語（「ならでは語」）の一覧を見せると、数十個しか並んでいないのに、「えー、そんなに覚えなきゃいけないんですかー」と甘えたことをほざけるのも、すべて**漢字のおかげ**です。

語彙力なしで中国語（外国語！）の、しかも文語文を読もうなんて、アメリカ人のティーンエイジャーが日本語も勉強せずに、いきなり『源氏物語』を読もうとするようなもの。実は無謀《むぼう》なんです。そのうえ、そいつが「コブンタンゴなんておぼえたくないデース」とほざいたら、「やめてしまえ！」と怒鳴りたくなるでしょ。

でも、漢文だと勉強なしで読める気がしますよね。**すべては漢字のおかげです。**

◎手間をかけずに語彙を増やす

文字面《もじづら》を眺めるだけで意味を推測できます。それなのに、共通テストは返り点も送り仮名も付けてくれます。例えば、次の文のように。

江南ニ多シレ竹。其ノ人習｜二於食ラフヲレ筍《たけのこ》ヲ。

それどころか、「筍」には「たけのこ」とフリガナをふり、「江南」には「長江《ちょうこう》下流の地域」と注をつけるサービスっぷりです。

おかげで「江南地方には竹が多い。その人は筍を食べることを習う」まではあっさりわかりました。でも、「筍を食べることを習う」ってどういうこと？　「習」の意味は？

① 学習する　② 弊習《へいしゅう》としている　③ 習得する

④ 習慣としている　⑤ 習練する

そのままなら「筍の食べ方を教えてもらう」という意味です。でも、そんなはずはない。

そこで、「習う」という解釈をいったん捨てて、**「習」を含む熟語をいくつか思い出します。**「学習」「習熟」「習慣」など。どれもこれも見覚えがありますよね。そこから、

ⓐ「学習」⬇「ならう」「学習する」「習得する」「習練する」（①・③・⑤）

ⓑ「習熟」⬇「なれる」「熟達する」

ⓒ「習慣」⬇「ならわし」「しきたり」「風習」「習俗」「弊習」（②・④）

と**複数の解釈の候補を思い浮かべます。**「習う」以外にも解釈の可能性があると気づくことが大事です。このような、複数の読みと意味を持つ字を**多訓多義語**《たくんたぎご》と呼びます。

あとは、ⓐ「筍を食べることを学習する（習得する）」、ⓑ「筍を食べることに習熟している（慣れている）」、ⓒ「筍を食べることを習慣としている」のうち、**どの解釈が自然だろうか**と考えます。ⓐは不自然なのでナシ。**①**・**③**・**⑤**を消去。ⓑ・ⓒはよさげ。でもⓑはありません。ⓒの**②**・**④**から選ぶなら、**④**「習慣としている」が自然（「弊習」なんて聞き覚えないし）。実は「筍を食らふを習ひとす」と読みます。

英語なら、「custom」というつづりをどれだけ眺めても、意味は出てきません。血のにじむ努力をして、「慣習」「習慣」「顧客」「得意先」「関税」「税関」「特注の」といった訳を覚える必要があります。

ところが、漢文なら、「習」という字を眺めただけで、「学習」「習得」「習熟」「習慣」「習俗」……いろいろな意味を思い浮かべられます。仮に思い浮かべられなくとも、問題になっている場合は、選択肢の中に「学習」「弊習」「習得」「習慣」「習練」と、熟語が並んでいるので、その中から文意に適しているものを選べばいいわけです。

漢字、ありがとう！ 君のおかげで**手間をかけずに語彙《ごい》を増やすことができるよ！**

繰り返しですが、「custom」なら、意味を覚えていなければ終わり。でも、漢文なら、初見でも何とかなります。例えば、「三子を待つこと平均なり」の解釈は？　なんだかわかりづらいです。そこで「待」の熟語を思い浮かべます。「待機」「待望」「期待」「待遇」「接待」「歓待」など。「三人の子どもを待つことが平均だ」では意味不明ですが、「三人の子どもの待遇が平均だ」＝「三人の子どもを同じようにあつかった」なら意味も通ります。

このように、「待」の訳を覚えなくても、熟語を思い出すだけで意味はわかるのです。

4時間目のスゴ技!!

手間をかけずに語彙力強化

高校までに習った漢字の知識を利用して、語彙力を増やすスゴ技をここで紹介します。

多くの人が「習」「待」をそのまま「習う」「待つ」と解釈します。これでは、漢文を正しく理解できません。「習」に「習慣」、「待」に「待遇」という意味もあると知って、ようやく正しく理解できます。それでは、どうやって語彙力を増やすのか？

◎熟語錬金術《れんきんじゅつ》

熟語からの連想を利用して語彙力を増やします。さっきまで話していたものですね。例えば、「漸」の解釈を、熟語の「漸近線《ぜんきんせん》」を手がかりに推測します。「だんだんと」「しだいに」という意味が想像できるはずです。常に「**熟語で言えば、何になるか」と意識しましょう。**ただそれだけで**語彙力が何倍にも増える**のです。

◎別字変換

訓読みを利用して語彙力《ごいりょく》を増やします。例えば、「竟《を》ふ」の解釈を、訓読みの「をふ」を手がかりに推測します。「竟」のままでは意味不明なので（熟語すら思い出せません）、「をふ」の同訓異字、つまり**同じ訓読みを持つ別の字に変換する**わけです。「をふ」と読む字には「負ふ」「追ふ」「終ふ」（実は「負」「追」は「おふ」）があります。「竟」は「終」と同じく「つひに」とも読む字ですから、「終ふ」と同じ意味だと推測できます。

◎一点突破

熟語の一部のみに注目して語彙力を増やします。熟語「卒爾《そつじ》」の意味は？　と聞かれたら、わかるわけがありません。見たこともないからです。そこで「卒爾」の「卒」**一点のみに着目します**。「卒」の熟語には「卒業」「卒倒」などがありますから、「卒業」から「終える」、「卒倒」〈いきなり倒れる〉から「いきなり」という意味を推測できます。**知らない熟語に出合ったら、分解して一字に着目する——一点突破**です。

ミッション 09 次の問いに答えよ。

制限時間 2分

話《わ》聖《しん》東《とん》為スヤレ政ヲ X 而公、推シテレ誠ヲ待スレ物ニ。

（注）話聖東――ワシントン。アメリカ合衆国初代大統領。

問 空欄Xに入る語として最も適当なものを、次の①～⑤のうちから一つ選べ。

難易度 ★★☆☆☆

① 廉　② 刻　③ 頑　④ 濫　⑤ 偏

ヒント

共通テストでは、すっかり常連となった**空欄補充問題**。その中でも、これは僕が「**肯定か否定か問題**」と呼んでいるものです。空欄に入るのは、**肯定的な言葉か否定的な言葉か**と考えてみてください。ワシントンの政治はXだと述べていますが、ここに入るのは肯定と否定どちらの言葉でしょうか？

解説

常識的に考えてワシントンの政治をディスるとは考えられませんが、本文を見ると、ワシントンの政治はXかつ「公」とあり、その続きにも「誠を推して物に待す」とあります。字面的にものすごく褒めている感じですが、ここに並ぶ「公」「誠」「待」「物」は、**熟語で言えば、何になる**と思いますか？　少し考えてみてください。

そのとおり。「公」は公正・公平、「誠」は誠心誠意、「待」は待遇、「物」はなんと人物になります。つまりワシントンの政治は「Xかつ公平公正であり、彼は誠心誠意をもって人に向き合っていた」というわけです。すごく肯定的な評価を与えられていますね。

次は、**選択肢の字を熟語にしていきます**。ワシントンの政治について語っているという文脈に合う熟語を思い浮かべていきます。

すると、「廉」は清廉潔白、「刻」は刻薄（酷薄と同義で、残酷で薄情）、「頑」は頑迷《がんめい》固陋《ころう》、「濫」は職権濫用、「偏」は偏狭・偏見で、①の「廉」以外はどれもこれも否定的な言葉です。正解は①。

次の問いに答えよ。

制限時間 2分

予被リ二(注1)謫《たく》書《しょ》ヲ一、(注2)治行シテ之ク二黄州ニ一。(注3)俗事紛然トシ、余モ亦タ遷《うつ》シレ居ヲ、因リテ不二復省一レ花。

（注）1　謫書――左遷《させん》を命じる文書。
2　治行――旅支度をする。
3　俗事紛然――政変で多くの人物が処罰されたことを指す。

問　傍線部「不二復省一レ花」から読み取れる筆者の状況を説明したものとして最も適当なものを、次の①～⑤のうちから一つ選べ。（「花」は筆者が軒先に植えた「海棠《かいどう》」のこと。）

難易度 ★★☆☆☆

① 筆者は政変に際して黄州に左遷され、ふたたび海棠を人に委《ゆだ》ねることになった。
② 筆者は政変に際して黄州に左遷され、もう一度海棠を移し替えることができなかった。
③ 筆者は政変に際して黄州に左遷され、それきり海棠の花を見ることがなかった。
④ 筆者は政変に際して黄州に左遷され、またも海棠の花見の宴を開く約束を果たせなかった。
⑤ 筆者は政変に際して黄州に左遷され、二度と海棠の花を咲かせることはできなかった。

ポイントチェック

傍線部だけで解ける問題です。まずはポイントチェック。

ココ ココ

不ニ復省レ花

句形「不復ー」があります。**句形の知識は最強の武器**。巻末資料（↓214ページ）を暗記して、青竜偃月刀《せいりゅうえんげつとう》を装備した人なら、「不復ー」＝読「復《ま》たーせず」＝訳「**二度とーしない**」とただちに思い浮かべられます。①「ふたたび…になった」、②「もう一度…できなかった」、④「またも…果たせなかった」をいきなり斬《き》り伏せて残り二択。

解説

いやいや、この時間のスゴ技はあくまで「語《ご》彙力《いりょく》強化」です。句形「不復」ではなく「省」に着目します。「省」も**多訓多義語**です。

さっそく**熟語錬金術**です。「省略」「反省」「内省」「帰省」「省察」「省庁」……など。

ⓐ「省略」➡「はぶく」
ⓑ「反省」➡「かえりみる」「ふりかえる」「内省」
ⓒ「帰省」➡「（故郷に帰って両親の）安否を問う」「見舞う」
ⓓ「省察」➡「みる」「よく調べて見る」
ⓔ「省庁」➡「役所」「文部科学省」

ⓒの「安否を問う」「見舞う」は難しいですけど、「省《はぶ》く」「省《かえり》みる」くらいはわかったはずです。もちろん「花を省く」では意味不明なので、「花を省みる」＝「花を振り返って見る」あたりが正しい解釈になりそうです（実際は「花を省《み》る」）。

「省」の解釈をチェック。①「委ねる」、②「移し替える」、④「約束を果たす」、⑤「咲かせる」は、どれも「省」の訳と離れすぎです。正解は③「見る」。ⓓ「みる」が正しい解釈ですが、ⓑ「かえりみる」「ふりかえる」を思い浮かべられれば、③を選べたでしょう。

要するに、厳密に考えなくても答えは出せるわけです。

王良は趙《ちょう》国の襄《じょう》主に仕える臣であり、「御術《ぎょじゅつ》」における師でもある。ある日、襄主が王良に馬車の駆け競べを挑み、三回競走して三回とも勝てなかった。くやしがる襄主が、まだ「御術」のすべてを教えていないのではないかと詰め寄ると、王良は次のように答えた。

凡ソ御之所ハレ貴ブ、馬体安ンジ二于車ニ一、人心調《かな》ヒ二于馬ニ一、而ル後ニ可シ二以テ進ムコト速《すみ》ヤカニシテ致スレ遠キヲ。今君後則欲レ逮レ臣、先則恐レ逮二于臣一。夫レ誘《すす》メレテ道ニ争フレ遠キヲ、非ザレバレ先ンズルニ則チ後ルル也。而シテ先後ノ心ハ在リ二于臣ニ一。尚ホ何ヲ以テ調ハン二於馬ニ一、此レ君之所二以後ルル一也。

問1 傍線部の解釈として最も適当なものを、次の①～⑤のうちから一つ選べ。 難易度★★★☆☆

① あなたは私に後ろにつかれると馬車の操縦に集中するのに、私が前に出るとすぐにやる気を失ってしまいました。
② あなたは今回後れても追いつこうとしましたが、以前は私に及ばないのではないかと不安にかられるだけでした。
③ あなたはいつも馬車のことを後回しにして、どの馬も私の馬より劣っているのではないかと憂えるばかりでした。

④ あなたは後ろから追い抜くことを考えていましたが、私は最初から追いつかれないように気をつけていました。
⑤ あなたは私に後れると追いつくことだけを考え、前に出るといつ追いつかれるかと心配ばかりしていました。

問2 「御術」と御者の説明として最も適当なものを、次の①～⑤のうちから一つ選べ。 難易度★★★☆☆

① 「御術」においては、馬を手厚く養うだけでなく、よい場所を選ぶことも大切である。王良のように車の手入れを入念にしなければ、馬を快適に走らせることのできる御者にはなれない。
② 「御術」においては、馬の心のうちをくみとり、馬車を遠くまで走らせることが大切である。王良のように馬の体調を考えながら鍛えなければ、千里の馬を育てる御者にはなれない。
③ 「御術」においては、すぐれた馬を選ぶだけでなく、馬と一体となって走ることも大切である。襄主のように他のことに気をとられていては、馬を自在に走らせる御者にはなれない。
④ 「御術」においては、馬を厳しく育て、巧みな駆け引きを会得することが大切である。王良のように常に勝負の場を意識しながら馬を育てなければ、競争に勝つことができる御者にはなれない。
⑤ 「御術」においては、訓練場だけでなく、山と林を駆けまわって手綱さばきを磨くことも大切である。襄主のように型通りの練習をおこなうだけでは、素晴らしい御者にはなれない。

解説

それでは、「語彙力強化」のスゴ技で問題を解きます。

まず問1。傍線部には「欲レ逮レ臣」「恐レ逮二于臣一」とあり、句形「欲レ―」＝読「―せんと欲す」＝訳「―したいと思う」「―しようとする」、句形「他動詞二於（于・乎）―一」＝読「―に他動詞せらる」＝訳「―に他動詞される」が含まれています。

傍線部に送り仮名がないときは、自力で訓読してから解釈します。

ところが、「逮」が読めません。困りました。ここで**熟語錬金術**の出番です。「逮」を使った熟語を思い浮かべます。「逮捕」だけ出てきましたね。辞書には「逮夜」「逮逮《ていてい》」「逮鞠《たいきく》」「逮録」「逮繋《たいけい》」も載っていますが、まったく馴染みがないはずです。

でも、大丈夫。「逮捕」から「とらえる」とわかれば、「私をとらえたいと思う」「私にとらえられることを恐れる」と訳せます。馬車競争という状況を踏まえれば、「私に追いつきたいと思う」「私に追いつかれることを恐れる」と解釈できます。ここまでくれば、正解は「追いつく」「追いつかれる」の⑤です。

次に問2。本文によれば、王良は「御術が貴ぶことは、馬体が車に安んじ、人心が馬に調う」ことだと言い、襄主が「先後の心は臣に在り」と、私よりも前に出ているか、私よりも後れているか、私にばかり気を取られていると述べる。そして「尚ほ何を以て馬に調はん」＝「それでどうやって馬に調うというのか」と言い、これこそが襄主が私よりも後れてしまう理由だと指摘する。

いまいちスッキリしないのは、「馬に調う」の意味が頭に入ってこないからです。

ここで**熟語錬金術**の出番。「調和」「調整」「調剤」「調査」「調節」「調達」「調教」「調理」「調子」「体調」「口調」「語調」「強調」「格調」「基調」「順調」「好調」「同調」……。こちらは無数に出てきます。人（＝御者）の心が馬と「調」するという一文を踏まえると、この「調」は調和だとわかります。また「何を以て馬に『調』はん」の「調」は、調教でも解釈できますが、こちらも「どうやって馬と調和するというのか」と合わせて解釈したほうがよいでしょう。さあ、あとは選択肢の吟味です。

馬と調和する＝馬と一体となって走ることも大切だとある③が正解です。「襄主のように他のことに気をとられていては……」も、本文の内容と一致していましたね。

さて、残念ながら、ここまで。**熟語錬金術**、**別字変換**、**一点突破**。いろいろなところで活躍しますよ。ぜひ使いこなせるようになってください。

5
時間目

なぜ省略されているんだ「主語・目的語」

◎主語を取り違えると致命的

普段から僕たちは、主語のない会話になれています。

関口「昨日、どうだった？（追試の感触は）」

羽田「ああ、うまくいったよ。手ごたえありって感じ（張本さんと初デートするって、こいつに話してたっけ？　まあ、いいか）」

関口「そりゃ、よかったな。絶対無理だと思ってたよ」

羽田「いきなり、なんだよ。ヒデーな」

関口「だって、あいつ〈＝漢文の飛田先生〉顔はいいけどさ、人間性が腐ってるっていうか、鬼畜じゃん。どんな難題つきつけてくるか、心配してたんだよ」

羽田「（鬼畜!?）大した難題じゃなかったよ。ただ、**焼肉おごらされただけでさ**」

関口「焼肉!?」

致命的です（このあと、関口は羽田を「焼肉で教師を買収した男」と見なし、羽田は関口を「自分の好きな人を鬼畜呼ばわりした無礼な奴」と見なします）。

漢文も主語をしばしば省略します。そのせいで、気づかないうちに、主語を取り違えるという致命的な事態に陥っているわけです（戦場で敵の主力部隊を見失うようなもの）。共通テストは、みんなが主語を見失っているのを見計らって、奇襲攻撃をしかけてきます。

目を離すな。主語を見失わないように警戒せよ。

同じように、**目的語も重要です**。関羽《かんう》が曹操《そうそう》に仕えるのか劉備《りゅうび》に仕えるのかでずいぶんと話は変わります。関羽は劉備・張飛《ちょうひ》とともに「**我ら生まれた日は違えども、死ぬ日は同じ**」と誓い合った仲。それなのに、劉備のライバル曹操のもとに下ったら、**ガッカリ感**がハンパないです。

目的語は代名詞になることが多いので、

気を抜くな。代名詞を見つけたら必ず正体を確認せよ。

ミッション 12

次の問いに答えよ。

制限時間 5分

人君《ハ》以《テ》二一人之身《ヲ》一而御《シ》二四海之広《キヲ》一、応《ズ》二万務之衆《キニ》一。苟《シクモ》不《シテ》下以《テ》二至誠《ヲ》一与《ともニセ》上賢《ト》而役《シテ》二其《ノ》独智《ヲ》一以《テ》先《ダテバ》二天下《ニ》一、則《チ》耳目心志之所《ノ》レ及《ブ》者、其《レ》能《ク》幾《いく》何《ばくゾ》。

（『性理大全』による）

問 傍線部の解釈として最も適当なものを、次の①～⑤のうちから一つ選べ。

難易度 ★★☆☆☆

① 君主の見聞や思慮が及ぶ範囲は決して広くない。
② 天下の人々の見聞や思慮が及ぶ範囲は君主以上に広い。
③ 天下の人々の感覚や思慮が及ぶ範囲は狭くなってしまう。
④ 君主の感覚や思慮が及ぶ対象はとても数え切れない。
⑤ 天下の人々の感覚や思慮が及ぶ対象は千差万別である。

ミッション 12 解答 正解は 1

解説

本文は、冒頭で主語「人君」を示したのち、ずっと主語を省略しています。

主語・目的語を絶えず補充せよ

主語を補充し、ちょこちょこ熟語に（**熟語錬金術《れんきんじゅつ》**）しながら直訳します。

人君は一人の身で四海の広さを統御し、万務の多さに対応する。もし（**人君が**）至誠をもって賢者とともにせず、（**人君が**）その独習を使役して天下に先立てば、その耳目心志（見聞や思慮）が及ぶところのものはどれほどか。

たどたどしいですが、この程度で大丈夫です。「天下に先立てば」は「天下の先頭に立てば」という意味で、君主が民衆の先頭に立って導くところを想像してください。「及ぶところのもの」は、選択肢では「及ぶ範囲」「及ぶ対象」と訳されています。

さて選択肢を見てみると、**ポイントは「耳目心志」が誰のものか**だとわかります。

① **君主の**見聞や思慮が及ぶ範囲は決して広くない。　**←正解！**

② **天下の人々の**見聞や思慮が及ぶ範囲は**君主以上に広い**。　←幾何ぞと合わない

③ **天下の人々の**感覚や思慮が及ぶ範囲は狭くなってしまう。

④ **君主の**感覚や思慮が及ぶ対象は**とても数え切れない**。　←幾何ぞと合わない

⑤ **天下の人々の**感覚や思慮が及ぶ対象は**千差万別である**。　←幾何ぞと合わない

主語補充済みの訳を見ると、「もし（**人君が**）……すれば、**その**耳目・心志の及ぶところのものは」とあります。これを踏まえれば、この「耳目心志」が「**君主の**耳目心志」だとわかります。

この段階で「天下の人々の……」とある②・③・⑤を消去。二択になりました。

ここまで来たら、「**幾何**《いくばく》**ぞ**」に着目です。「幾何」は、数量・時間をたずねる疑問詞で、訳は「どれほどか」。反語の場合は「どれほどだろうか」＝「どれほどでもない」＝「**ほんのわずか**」「**たかが知れている**」といった意味になります。

この点で、①「決して広くない（＝たかが知れている）」と④「とても数え切れない（＝無数にある）」とでは、①のほうが適切です。正解は①。

それでは、次は**文構造に着目して解く方法**を見てみましょう。

ミッション 13 次の問いに答えよ。

制限時間 2分

問 「語夫人其実焉」について、返り点の付け方と書き下し文の組合せとして最も適当なものを、次の①〜⑤のうちから一つ選べ。

難易度 ★★☆☆☆

① 語㆓夫人其実㆒焉　夫人と其の実を語る

② 語㆓夫人㆒其実焉　夫人に語ること其れ実ならんや

③ 語㆓夫人其実㆒焉　夫人に其の実を語る

④ 語㆓夫人㆒其実焉　夫人に語りて其れ実ならしむ

⑤ 語㆓夫人㆒其実焉　夫人に語れば其れ実なり

ミッション 13 解答 ➡ 正解は 3

漢文の文構造は英語と似ています。同じく**SVO型**だし、**副詞は動詞の前に置かれる**し。というわけで、まず**動詞を探します**。ここでは「語る」ですね。**動詞に続く名詞**が英語と同じく**目的語や補語の類い**になります。

共通テスト漢文で気をつけるべき文型は次の三つ。

① 用言 体言 → 用言ス二 体言ヲ(ニ・ト)一

② 用言 体言 体言 → 用言ス二 体言ニ(ヲ・ト) 体言ヲ(ニ・ト)一

③ 副詞 用言 → 副詞 用言ス

例 振《ふる》フレ剣ヲ。長ズ二詩文ニ一。

例 垂《た》ル二名ヲ竹《ちく》帛《はく》ニ一。

例 甚ダ厳ナリ。妄《みだ》リニ尊大ニス。

用言とは、**動詞・形容詞・形容動詞**で、しばしば**述語**になります。**体言**とは、**名詞・代名詞**で、**用言の直後にあれば、目的語や補語の類いです**。**体言**に「**を・に・と**」のどれかを付けて**用言に返ります**。

なお、漢文の目的語・補語は、英語のものとは異なり、「……を」を**目的語**、「……に(と・より等)」を**補語**と呼ぶだけなので、受験生は気にしなくても大丈夫。教科書によっては、まとめて補助語と呼んでいます。

それでは、改めて「語 夫 人 其 実 焉」に目を向けてください。

語（用言）**夫人**（体言）**其実**（体言）**焉**

⬇

語ル二夫人ニ其ノ実ヲ一焉

文構造は「**用言** **体言** **体言**」のSVOO型。返り点は原則「**用言**二**体言** **体言**一」の一択。返り点は「語二夫人其実一焉」で、書き下しは「夫人**に**其の実**を**語る」か「夫人**を**其の実**に**語る」のどちらか。後者は「夫人をその事実に語る」で意味不明。前者が適切です。

~~①~~ 語㊁夫人其実㊀焉　夫人**と**其の実を語る　⬆**返り点が原則どおり◎**

~~②~~ 語㊁夫人×其実焉　夫人に語ること其れ実ならんや

③ 語㊁夫人其実㊀焉　夫人**に**其の実を語る　⬆**返り点が原則どおり◎**

~~④~~ 語㊁夫人×其実焉　夫人に語りて其れ実ならしむ

~~⑤~~ 語㊁夫人×其実焉　夫人に語れば其れ実なり

返り点の段階で、②・④・⑤を消去。あとは「夫人**と**」か「夫人**に**」か。助詞「と」は「…**と**為る」「…**と**謂ふ」といった**限られた動詞としか使わない**ので、正解は③。

ミッション 14

次の問いに答えよ。

制限時間 2分

問 「野鳥無故数入宮」について、返り点の付け方と書き下し文の組合せとして最も適当なものを、次の①～⑤のうちから一つ選べ。

難易度 ★★☆☆☆

① 野鳥無レ故数レ入レ宮。　野鳥に入るを数ふるに故《ゆゑ》無し

② 野鳥無二故数一入レ宮。　野鳥に故《ことさら》に数ふる無く宮に入る

③ 野鳥無レ故数入レ宮。　野鳥故《ゆゑ》無くして数《しばしば》宮に入る

④ 野鳥無故数入レ宮。　野鳥無きは故《もと》より数《しばしば》宮に入ればなり

⑤ 野鳥無二故数入一レ宮。　野鳥故《ことさら》に数《しばしば》宮に入ること無し

ミッション 14 解答

正解は 3

ポイントチェック

「数」は、しばしば副詞として「数《しばしば》」と読まれます。「故」は、名詞「故《ゆゑ》」、接続詞「故《ゆゑ》に」、副詞「故《ことさら》に」「故《もと》より」など、いろいろな読み方があります。

解説

漢文の文構造はSVO型ですが、主語の位置が特殊なのが「**有**」「**無**（**莫**）」です。

場所（二） **有**リ二 **意味上の主語**一　例 **井**ニ **有**リレ **仁**《ひと》 **焉**

場所（二） **無**シ二 **意味上の主語**一　例 **天**乎《よ》 **吾**ニ **無**シレ **罪**

「**有**」「**無**（**莫**）」**の主語は下に来ます**。原則「有レ…」「無レ…」と返読し、「…」部分に意味上の主語があると解釈します。「有……者」「無……者」も**共通テスト頻出の形**で、「者」までが主語になって「……**者有り**」「……**者無し**」と書き下します。

というわけで、まず「無」に着目。「無」に返読していない④を消去。「故」は「無」の**意味上の主語の位置にある**ので、名詞「故《ゆゑ》」と読むはずだと判断します。「故《ゆゑ》無し（理由もない）」で違和感がなければ、これで決まり。正解はおそらく①・③。

次に「数」。「入る」という**動詞の上にある**ので、**副詞**「数《しばしば》」と読みます。ここで「数《かぞ》ふ」と読んでいる①・②を消去。正解は③。

主語・目的語を絶えず補充せよ

主語はしばしば省略されるので、絶えず補充し続けましょう。**主語を見失う＝文脈を見失う**です。でも逆に言えば、**主語を捕捉する＝文脈をとらえられる＝問題を粉砕できる！**です。主語を捕捉できていれば、解釈問題・説明問題・最終問題で有利に戦えます。

それでは、主語を捕捉するためのスゴ技を紹介。

◎登場人物にナンバリング

登場人物に印をつけます。主要登場人物はだいたい数人です。あとはモブ的な人がちょっと出る程度。①主要登場人物を□や○で囲み、②通し番号を付けます。これは、例えば、同じ「劉備《りゅうび》」を指すのに、「備《び》」「玄徳《げんとく》」「皇叔《こうしゅく》」「兄者《あにじゃ》」など、表現がいろいろ変わるからです。同一人物だとわかるように、通し番号を付けます。

主語が省略されていると感じたら、前文の主語を確認せよ！

《1》前文の主語を受け継いでいる場合、主語を省略する。

（例）「**劉備は**自ら諸葛亮《しょかつりょう》のもとを訪れた。（?は）三回訪れてようやく（?に）会えた。そこで（?は）人を退けて（?と）ともに計略を練り、これを善しとした」

↓

?はどちらも「劉備」、?はどちらも「諸葛亮」。

《2》文脈上、主語が明確な場合、主語を省略する。

（例）「**農夫は**畑を耕していた。畑の切り株に**ウサギが**猛然とダイビングヘッドをかまし、頭骨を折って死んだ。以来、（?は）農具を放り出し、日がな一日切り株を見守った。でも（?は）二度と手に入らず、（?は）すっかり笑い者になった」

↓

?はどちらも「農夫」、?は「ウサギ」。

ミッション 15

次の問いに答えよ。

制限時間 3分

老狸(注1)奴ナル者、従ヒテ而撫《ぶ》シレ之ヲ、傍《はう》(注2)徨《くわう》焉《えん》タリ、躑《てき》躅《ちよく》焉《えん》タリ。臥《ぐわ》スレバ則チ擁シレ之ヲ、行ケバ則チ翊《たす》クレ之ヲ。舐《な》メテ二其ノ氄《じよう》(注3)ヲ一而譲ル二之ニ食ヲ一。両小狸奴ナル者モ、亦《ま》タ久シクシテ而相ヒ忘ルル也。稍《やうや》ク即《つ》キレ之ニ、遂ニ承二其ノ乳ヲ一焉。

(程敏政《ていびんせい》『篁墩文集《こうとんぶんしゅう》』による)

(注)1 狸奴——猫。 2 傍徨焉、躑躅焉——落ち着かないさま。 3 氄——うぶ毛。

問 傍線部「承」のここでの意味として最も適当なものを、次の①～⑤のうちから一つ選べ。

難易度★★☆☆☆

① 授けた
② 認識した
③ 納得した
④ 差し出した
⑤ 受け入れた

ミッション 15 解答 ↓↓↓↓↓↓↓↓↓↓↓↓ 正解は 5

解説

この手の問題は**熟語錬金術**《れんきんじゅつ》の出番です。承知・承認・承服・了承・継承あたりを思い出し、「認める」「受け継ぐ」といった意味があると推測します。でも、いまいちピンときません。

というわけで、「承」**の主語を明らかにして問題を解きます。**

直訳は「**老猫は**従って**これ**を愛撫し、落ち着かない様子。（1は）横になれば、**これ**を擁し、行けば、**これ**を助けた。（2は）**その**うぶ毛を舐めて、**これ**に食事を譲った。**二匹の子猫も**、しばらくして忘れた。（3は）少しずつ**これ**につき、（4は）ついに**その**乳を【承】した」となります。

短い文章ですが、ちょこちょこ主語が省略されていますね。

主語・目的語を絶えず補充せよ！

主語が省略されていると感じたら、前文の主語を確認せよ！

主語1　**老猫**は…落ち着かない　➡　1 は…を助けた　＝**老猫**
主語2　**老猫**は…助けた　➡　2 はそのうぶ毛を…　＝**老猫**
主語3　子猫も忘れた　➡　3 は少しずつ…　＝子猫
主語4　子猫は少しずつ…　➡　4 はその乳を【承】　＝子猫

すべて前文の主語をそのまま受け継いでいましたね。**文章には指示語があるので、中身を入れておきます。**

指示語・代名詞を見つけたら、中身を必ず考えよ！

省略されている目的語の類いを補充し、指示語の中身を入れて訳すと、こんな感じ。

老猫は従って**子猫を**愛撫し、落ち着かない様子。（**老猫は**）横になれば、**子猫を**擁し、行けば、**子猫を**助けた。（**老猫は**）**子猫の**うぶ毛を舐めて、**子猫に**食事を譲った。**二匹の子猫も**、しばらくして忘れた。（**子猫は**）少しずつ**老猫**につき、（**子猫は**）ついに**老猫**の乳を【承】した。

準備完了。「承」の**主語は「子猫」、目的語は「老猫の乳」**です。では、選択肢を。

~~①~~ 授けた　**乳を**授けた　⬇　主語は「**老猫**」になる×
~~②~~ 認識した　**乳を**認識した　⬇　ちょっと何言ってるかわからない×
~~③~~ 納得した　**乳を**納得した　⬇　ちょっと何言ってるかわからない×
~~④~~ 差し出した　**乳を**差し出した　⬇　主語は「**老猫**」になる×
⑤ 受け入れた　**乳を**受け入れた　⬇　主語は「**子猫**」になる◎

「子猫が老猫の乳を【承】した」とわかれば、選択肢は②・③・⑤に。②・③は「承知」「承服」あたりを踏まえた選択肢だけど、意味不明だから消去。正解は⑤。

主語や目的語に着目することで、選択肢の吟味が容易になります。

主語や目的語を明確にとらえているかどうかは読みの基本です。だから共通テスト漢文は、みんなが主語や目的語（つまり文構造）を正しくとらえているかどうかをたずねてくるわけです。そこまで狙っていなくとも、選択肢を作るなかで、**主語や目的語をズラした誤選択肢を作ったりする**ので、**文構造に対する意識は得点に直結します。**

まずは**主語・目的語を絶えず補充すること。**そこからはじめてください。

6 時間目

ややこしいが頼もしい「反語・二重否定」

◎で、結局どっちやねん

まず「気になる人」を思い浮かべてください。これから恋仲になりたい人です（架空の人でもかまいません）。その人が柔らかな笑みを浮かべて、やさしく、

「わたし、あなたのこと、嫌いじゃないわけじゃあないよ」

とあなたに告げたとしましょう。で、喜ぶべき？　悲しむべき？

こんなこと、片思いの人から言われたら、まず何を言われたのかよくわからなくて絶望し、次に「あ、嫌いって宣言されてる」と気づいて絶望します。

二重否定が好んで出題されるのは、このように肯定か否定かややこしいからです。

反語も同じです。あなたが熱烈な乃木坂ファンで、スマホでMVを楽しんでいたところ、あまり親しくない友人から、

「なんで乃木坂が好きなの？」

と唐突に聞かれたとしましょう。で、怒るべき？ それとも理由を答えるべき？

向こうが「なんで乃木坂なんかが好きなの？」というつもりなら、「圧倒的に顔面偏差値が高くて、にゃぎが……」なんてマジ答えするわけにはいきません。赤っ恥もいいところです。かといって、「人の趣味に文句つけてんじゃねえよ」とキレてみたら、実は向こうも乃木坂ファンだったというのも嫌です。

反語が好んで出題されるのは、このように肯定か否定かややこしいからです。

反語・二重否定は、みんなを混乱させるクセのある難敵です。

この時間は、反語・二重否定のややこしさを逆手にとって、あっさり攻略するスゴ技を紹介します。はりきっていきましょう！

ミッション 16 次の問いに答えよ。

制限時間 3分

詎《なんゾ》知《ランヤ》、薫《くん》（注）染《せんスルコトニ》既深《ク》、後雖《モ》レ欲《スト》レ進《マント》二乎杜《ニ》一、也《まタ》可《キカヲ》レ得乎。

（注）薫染――影響を受けること。

問 右の「詎知、薫染既深、後雖レ欲レ進二乎杜一、也可レ得乎」の解釈として最も適当なものを、次の①～⑤のうちから一つ選べ。 難易度★★★☆☆

① 詩を学ぶ者は、宋代・明代の詩や晩唐の詩の影響をすでに色濃く受けていることを知っているので、のちに自分から杜詩《とし》を学ぼうとはしないのだ。

② 詩を学ぶ者は、宋代・明代の詩や晩唐の詩の影響をすでに色濃く受けてはいても、のちに杜詩を学べばまた得るところがあるのを知らないのだ。

③ 詩を学ぶ者は、宋代・明代の詩や晩唐の詩の影響をすでに色濃く受けてしまっているが、のちに杜詩を学ぼうとするのに何の妨げもないことを知らないのだ。

④ 詩を学ぶ者は、宋代・明代の詩や晩唐の詩の影響をすでに色濃く受けてしまっていることを知らないので、のちに杜詩を学ぼうとしても、もはや得るところはないのだ。

⑤ 詩を学ぶ者は、宋代・明代の詩や晩唐の詩の影響をすでに色濃く受けてしまっているので、のちに杜詩を学ぼうとしても、もはやできなくなっていることを知らないのだ。

ミッション16 解答 ⇒ 正解は 5

解説

まずは**返り点も送り仮名も付いている設問**を見てみます。

「杜」は盛唐の詩人杜甫《とほ》を指し、選択肢では「杜詩」と表現されています。「杜甫の詩」という意味ですね。

送り仮名がある場合、**文末さえ見れば、疑問か反語かの判別ができます**。

反語・疑問の処理①

……未然形 ＋ ん（や） ⇒ 反語（例）豈に図らん**や**。

……連体形（＋ か・や） ⇒ 疑問（例）何ぞ言は**ざる**。

なんでもかんでも反語にしないように。いったん文末を見て判断しましょう。

反語・疑問の処理②

反語 ⬇ 「…だろうか」「…ようか」「…であろうか」

疑問 ⬇ 「…のか」「…のだろうか」「…ではないか」

反語の文末「んや」の「ん」は、**推量・意志の助動詞「む」**なので、「…だろうか」「…しようか」など、「ん」を踏まえた解釈になります。

反語は疑問の形を借りた否定文。見た目は「なぜそんなことを言うのか」と問いながら、実際は「そんなことを言ってはいけない」と強めに言っています。でも、同じ文面で実際に質問していることもあるからややこしいです。ところが、

漢文では、見かけで判断できる！

文末が「するや」なら疑問で「んや」なら反語。文末が「のか」「のだろうか」なら疑問で「だろうか」「ようか」なら反語。**機械的に判断できます。**

問に戻ると、「詎《なん》ぞ知ら**んや**」とあるので、これは**反語**です。

そして**反語は疑問の形を借りた否定文**なので、こんな処理もします。

反語を見つけたら否定文に言いかえよ！

言いかえ方は簡単。

疑問詞を「不」に置きかえる、あるいは、「不」を加える。

（例）**詎**《なんゾ》**知**《ランヤ》 ↓ **不**レ**知**《ラ》（知らない）

可《ベケン》レ**怠**《ル》**乎**《や》 ↓ **不**《ず》レ**可**《カラ》レ**怠**《ル》（怠ってはいけない）

なお反語の訳の定番「どうして…だろうか。**いや、…ない**」は、原則として使われません。「どうして…だろうか」で終わるか、「**…ない**」**と言い切ります**。ですから、反語を見つけたらとりあえず否定文に言いかえ、それから「どうして…だろうか」と「…ない」を念頭に置いて選択肢を吟味します。

①……を知っているので、……杜詩を学ぼうとはしないのだ。
②杜詩を学べば……………を知らないのだ。
③杜詩を学ぼうとするのに何の妨げないことを知らないのだ。
④……を知らない、……杜詩を学ぼうとしても……
⑤杜詩を学ぼうとしても……………を知らないのだ。

「知らない」で終わる選択肢を探すと、①・④が消えます。反語の出番はここまで。
あとは「杜に進まんと欲すと雖《いへど》も」に着目します。「雖ー」＝読「ーと雖も」＝訳「ーけれども」「ーとしても」なので、直訳は「杜甫に進もうとしても」。正解は「杜詩を学ぼうとしても」の⑤。

共通テストでは、「豈 可二以 少一哉」の正解が「**どうして**努力を怠ってよい**だろうか**」だったり、5時間目で見たように「幾何《いくばく》ぞ（どれくらいか）」の正解が「決して広く**ない**」だったりします。**反語のままの訳**が正解になる問題と**否定文に言いかえたもの**が正解になる問題があるので、問題を解くときは、「どうして…だろうか」も「…ない」も、どちらも念頭に置いて選択肢を吟味してください。

ミッション 17

次の問いに答えよ。

制限時間 1分

不レ観二之ヲ竜ニ一乎。

問 右の「不レ観二之竜一乎」の解釈として最も適当なものを、次の①～⑤のうちから一つ選べ。

難易度 ★☆☆☆☆

① 聖賢のあり方は、竜のあり方に見てとることはできない。
② 聖賢のあり方は、竜のあり方と見分けがつくだろうか。
③ 聖賢のあり方は、竜のあり方と見分けがつくに違いない。
④ 聖賢のあり方は、竜のあり方に見てとれるではないか。
⑤ 聖賢のあり方は、竜のあり方と見分けなくてはならない。

解説

ココ ココ

不レ観ニ之ヲ竜ニ乎。

まずは音読してください。誰ですか。「……観ざらんや」と読んでるのは。

「不」に**送り仮名がない**のが大きな手がかりです。読み方は「之を竜に観**ずや**」。「んや」ではないので、**反語ではありません**。通常、疑問の文末は「連体形（＋や・か）」ですが、「不」「**非**」の場合は「終止形＋や」＝「**ずや**」「**非《あら》ずや**」になりがちです。

選択肢の文末を見ると、①「できない」、②「つくだろうか」、③「つくに違いない」、④「ではないか」、⑤「なくてはならない」で、①は否定文、②は肯定の疑問文、③は推量「に違いない」付きの肯定文で論外。④が「ずや」の直訳で正解。⑤は二重否定で、**否定の反語文**の訳です。反語は否定文に言いかえられるので、「…ざらんや」は「…しないことがあろうか」＝「…しないことなどありえない」「…しなくてはならない」＝「必ず…する」と訳せます。ただ、そもそも「ずや」は**反語ではない**のでアウト。正解は④。

次の問いに答えよ。

制限時間 3分

予以《おも》謂《ヘラク》、秦ノ雉《きじハ》、陳宝也、豈常雉乎。

（注）陳宝――童子が変身した雉を指す。秦の文公に童子が雉と化して吉兆を告げた故事を踏まえたもの。

問 傍線部「豈常雉乎」の解釈として最も適当なものを、次の①～⑤のうちから一つ選べ。

難易度★★☆☆☆

① きっといつもの雉だろう
② どうして普通の雉であろうか
③ おそらくいつも雉がいるのだろう
④ なんともありふれた雉ではないか
⑤ なぜ普通の雉なのだろう

ミッション 18 解答 ↓ 正解は 2

解説

それでは、次は**送り仮名のない問題**を見てみましょう。

傍線部に「豈」がありますね。

「豈」があったら反語――と思い込んでいる人は気をつけて。そう思い込んでいる人がやたら多いのですが、「**豈**」**には疑問の用法もあります**。しかも疑問の「豈」は、過去にもしばしば出題されています。

豈《ニ》 **―** **乎**《ンや》 読 **「豈**《あ》**に―せんや」** 訳 「どうして――しようか」
「――しない」

豈《ニ》 **―** **乎**《スルか》 読 **「豈に―するか」** 訳 「――ではなかろうか」

注意すべきなのは、「豈」**の疑問形は**「疑問を含んだ推量」**を表しており、訳は**「**ではなかろうか**」「**ではないか**」「**きっと――だろう**」**などになる点です。**

傍線部はいくつか読みの可能性があります。

(1) 豈に常に雅ならんや　「どうしていつも雅であろうか」＝「いつも雅とは限らない」
(2) 豈に常の雅ならんや　「どうして通常の雅であろうか」＝「通常の雅ではない」
(3) 豈に常に雅なるか　「いつも雅ではなかろうか」
(4) 豈に常の雅なるか　「通常の雅ではなかろうか」

(1)・(2)が反語で、(3)・(4)が疑問。(1)・(3)が「常」を「常に」と読んだもので、(2)・(4)が「常」を「常の」と読んだもの。

選択肢を見ると、①「きっと…だろう」は「豈」の疑問用法、②「どうして…であろうか」は「豈」の反語用法、③「おそらく…のだろう」は推量、④「なんとも…ではないか」は詠嘆「豈に…ずや（なんと…ではないか）」を踏まえたもの、⑤「なぜ…だろう」は単純な疑問。「豈」の用法から考えて、①か②が正解。③は△。④・⑤はアウト。

それでは、疑問・反語の判別のポイントを挙げます。

反語・疑問の処理③

(1) 否定文に言いかえて**文脈に合う**➡**反語**　**合わない**➡**疑問**（**詠嘆**）

(2) その文に対する答えが**ある**➡**疑問**　**ない**➡**反語**（**詠嘆**）

(3) **地の文**➡**反語**（たまに疑問・詠嘆）

会話文➡**答えがある**なら**疑問**　**言い切って終わり**なら**反語**（**詠嘆**）

というわけで、とりあえず黙って反語と見なし、否定文に言いかえます。

やり方は、「**疑問詞を『不』に置きかえる**」でしたね。「**豈**常雉**乎**（**豈に**常の雉なら**んや**）」をとりあえず「**不**常雉（常の雉なら**ず**）」とし、「通常の雉**ではない**」としっかり否定文に言いかえます。あとは文脈に合わせるだけ。

「秦の雉は陳宝（童子が化した雉）であって、**通常の雉ではない**」。何か問題は？　ないですね。じゃあ、これで決まり。正解は反語の②です。

ミッション 19 次の問いに答えよ。

制限時間 4分

智者ノ千慮ニモ有リ二一失一。聖人之所レ不ル知ラ、未ダル二必ズシモ不レンバアラ為サ二愚人ノ所トレ知ル也。

問 傍線部「聖人之所レ不レ知、未二必不レ為二愚人所レ知也」はどのようなことを言っているのか。その説明として最も適当なものを、次の①～⑤のうちから一つ選べ。

難易度 ★★★☆☆

① 聖人の知恵の及んでいるところには、愚人の知恵が反映されている。
② 聖人の知らないことは、もちろん愚人も知るはずがない。
③ 聖人の知らないことでも、愚人が知っている場合がある。
④ 聖人の関知しないことを、逆に愚人は必ず気にしている。
⑤ 聖人の知恵の及ばないところでこそ、愚人の知恵が生きる。

ミッション 19 解答 正解は 3

解説

この時間最後のミッションで、ようやく二重否定です。

さて、**二重否定は結局のところ肯定文**。裏の裏が表になるように、マイナス×《かける》マイナスがプラスになるように、否定を否定すれば、肯定になります。

二重否定を見つけたら肯定文に言いかえよ！

それが漢文のセオリーです。

ただし、句形によって言いかえたときの形が違います。例えば、「無不―」は「必ず―する」と強めの肯定文で、「非不―」は「―である」と単純な肯定文で言いかえます。そして「未必不―」は「必ずしも―しないわけではない」⬇「―する場合もある」と言いかえます。正解は③。瞬殺です。

二重否定の言いかえは巻末資料（⬇215ページ）に並べたので、暗記してしまってください。

6時間目のスゴ技!!

反語・二重否定は必ず言いかえよ

反語・二重否定が出題されるのはややこしいからです。繰り返しますが、

反語・二重否定を見つけたら必ず言いかえよ！

直訳がそのまま正解になっていることもあります（→ミッション18）。その場合でも、反語を否定文、二重否定を肯定文にはっきりと言いかえます。混乱を避けられるので、問題を解きやすくなります。

ポイントは、①**反語・疑問の判別**、②**二重否定の言いかえ**です。問題によっては、傍線部を白文にしたうえで反語か疑問かの区別を聞いてくるので、この時間に学んだスゴ技を生かして、そんな問題、粉砕してやりましょう。

それから、**二重否定はどう言いかえるかが大事**。言いかえを事前に整理して、そんな問題、瞬殺してやりましょう！

7 時間目

「対句」こそ最強の武器

漢文では、しばしば対照的な句を二つ（あるいは、それ以上）並べます。例えば、

◎対句はありがたい

千里ノ馬ハ常ニ有レドモ、而伯楽ハ不二常ニハ有ラ一

「千里の馬は常に存在する。ただし伯楽《はくらく》は常に存在するわけではない」――形式上も意味上もなんとなく対照的な感じがしますよね。「伯楽」の意味はわからなくても。

ありがたいのは、「千里の馬」と「伯楽」が、意味上、対照的な関係にあると予想できるところです。「伯楽」の意味は、「一日に千里を走る名馬」と対照的なわけですから、「一日に一里も走れない駄馬《だば》」とか「名馬を見つけ出す名人」だと予想できます。

◎対句は「決め球」

「対句」あるいは「対偶」と呼ばれる表現は、単純で雑な反復表現からはじまり、やがて内容や声調《トーン》の対称性《シンメトリー》や対照性《コントラスト》にこだわるようになったものです。

実のところ、目が回るくらい複雑で厳密なルールがありますが、そんなものを理解する必要はありません。単に、二つ以上の句があり、①形がそこそこ似ていて、②内容が明らかにペアになっていたら、**対句と見なしてしまってください**。ただの反復表現でも「対句」と見なしてしまう強引さがほしいです。

対句は**おしゃれな表現**です。作者はここぞというところで使ってきます。全編対句だらけの文章は、頭の先からつま先まできらびやかなブランドで固めたにわかセレブみたいなもので、一目見て**お腹いっぱい**です。一時期、対句だらけのギラギラな文章（四六駢儷文《しろくべんれいぶん》）が流行しましたが、すっかり廃《すた》れました（入試ではお目にかかれません）。

対句は、野球で言う「決め球」のようなもの。連投なんてしません。そんなことをしたら、効果が薄れるからです。だから、**対句はここぞというところで使われるのです**。

7時間目のスゴ技!!

対句を見つけろ

みんなはこれから共通テスト漢文という難敵に立ち向かいます。

いまは、はぐれ〇タルを倒してレベル上げをしたり、モンスターからゴールドを巻き上げて優れた武器・防具を入手したりしているところです。主武器《メインウェポン》（**句形の知識**）と副武器《サブウェポン》（**副詞**・「**ならでは語**」の知識）を装備し、ステータスの強化法を覚え（「**熟語**」で語彙力《ごいりょく》増強）、敵の攻略法（「**主語・目的語**」「**代名詞の指示内容**」「**反語・二重否定**」）を学んできました。七大点（⬇022ページ）のうち、六つまで見てきたわけです。

この時間は、**対句**を利用して問題を解くスゴ技を紹介します。とりあえず、

対句を見つけて線を引き、頭の中で並べて整理せよ！

対句がいかに役立つか、これからじっくり見ていきましょう。

ミッション 20

次の問いに答えよ。

制限時間 2分

夫レ君子ハ可三キモ欺クニ以二テス其ノ（注1）方一ヲ、難罔（注2）以非其道。

（注）1　其方──理にかなった方法。
　　2　罔──あざむく。

問　傍線部「難罔以非其道」の書き下し文として最も適当なものを、次の①～⑤のうちから一つ選べ。

難易度 ★☆☆☆

① 罔《し》ひ難きは其の道に非ざるを以てなり
② 罔ふるを難ずるに其の道に非ざるを以てす
③ 罔ふるに其の道に非ざるを以てし難し
④ 罔ふるに其の道に非ざるを以てするを難ず
⑤ 罔ふるを難じて以てその道を非とす

ミッション 20 解答 ⇩⇩⇩⇩⇩⇩⇩⇩⇩⇩⇩⇩⇩ 正解は **3**

解説

傍線部と直前の部分が「対句」になっていると気づいたら**瞬殺です**。

《1》まずは、対句を並べて、対応する語を確認する。

夫《レ》君子《ハ》可《キモ》三欺《クニ》以《テス》二其《ノ》方《ヲ》一、
難　罔　以　非　其　道。

（可 ⇔ 難、欺 ＝ 罔、其方 ＝ 其道）

並べれば、「可」「難」、「欺」「罔」、「其の方」「其の道」の対応に気づけます。

《2》次に、対句の原則を生かして、訓読・解釈をする。

対句の原則とは、「読みはおそろい」「意味は同じか反対」です。

「罔」の読みは、「欺くに」と**おそろい**なので、「罔ふるに」。これで選択肢を③・④に絞《しぼ》れます。なお「罔」の意味は、注によれば、「欺」と**同じ**で「あざむく」。

「難」の意味は、「可」と**同じか反対**。「難」の熟語をいくつ思い浮かべても（**熟語錬金術**《れんきんじゅつ》）、「べし」的な意味はないので、同じはずはありません。**反対**の「難《かた》し」が正解。上の句が「欺くべし」〈＝あざむくことができる〉、下の句が「罔ひ難し」〈＝あざむくのは難しい〉ですから、対称性《シンメトリー》・対照性《コントラスト》はばっちりです。正解は③。

このように、対句を整理したうえで、**「読みはおそろい」「意味は同じか反対」**という原則を生かして、訓読や解釈をします。このとき、**文脈よりも句形よりも何よりも、対句を最重視することが大事**です。**対句優先**です。

書き下し問題は、対句に気づいた瞬間に解けました。次の ミッション㉑ では、対句を生かして解釈してみましょう。突破口があるわけですから、楽勝です。楽勝。

ミッション 21

次の問いに答えよ。

制限時間 2分

君《タル》者無《ク》レ不《ルハ》レ思《ハ》レ求《ムルヲ》二其《ノ》賢《ヲ》一、賢《ナル》者罔《なシ》レ不《ルハ》レ思《ハ》レ効《いたスヲ》二其《ノ》用《ヲ》一。

問 右の解釈として最も適当なものを、次の①～⑤のうちから一つ選べ。

難易度 ★★☆☆☆

① 君主は賢者の仲間を求めようと思っており、賢者は無能な臣下を退けたいと思っている。

② 君主は賢者を顧問にしようと思っており、賢者は君主の要請を辞退したいと思っている。

③ 君主は賢者を登用しようと思っており、賢者は君主の役に立ちたいと思っている。

④ 君主は賢者の意見を聞こうと思っており、賢者は自分の意見は用いられまいと思っている。

⑤ 君主は賢者の称賛を得ようと思っており、賢者は君主に信用されたいと思っている。

ミッション 21 解答 ⇒ 正解は 3

解説

対句を見つけて線を引き、並べて整理します。

対句を見つけるコツは、①形がそろっている、②意味上、対称的・対照的になる、といった特徴に目を向けることです。形がそろっているので、慣れれば簡単に見つけられます。

例えば、今回も、赤字以外はそろっています（「無《な》し」＝「罔《な》し」）

君者無レ不レ思レ**求**二其**賢**一
⇕　　　　　　⇕
賢者罔レ不レ思レ**効**二其**用**一

まず句形をチェック。二重否定「無不」＝訳「…しないことはない」「必ず（誰もが）…する」が使われています。**二重否定を見つけたら肯定文に言いかえよ。**というわけで、肯定文に言いかえつつ直訳すると、こんな感じになります。

君主はその賢者を求めたいと思っているし、賢者はその用を効《いた》したいと思っている。

ここで**熟語錬金術**と**別字変換**の出番。「用」の熟語は効用・用途など。「効《いた》す」は「致《いた》す」に変換。さらに「致す」の熟語は招致・送致・致身・致命など。招致の致は「招きよせる」、送致の致は「送りとどける」、致身・致命の致は「（身命を）ささげる」を意味します。実は、ここから「用を効す」を「用をとどける・ささげる」→「役に立つ」と解釈できたら、一択で答えを出せます。

さて、**対句の原則「意味は同じか反対」を踏まえて解釈します**。

この対句では、「君主」と「賢者」が反対、また「君主が賢者を求める」と「賢者が用を致す」も反対です。そこから賢者が「臣下」を指すこと、「君主は賢者を臣下にしたいと思っているし、賢者も君主に用を致したいと思っている」と解釈することがわかります。

① 君主は賢者の仲間を求めようと思っており…　⬆賢者を臣下にしたいと**合う**◎

② 君主は賢者を顧問にしようと思っており…　⬆賢者を臣下にしたいと**合う**◎

③ 君主は賢者を登用しようと思っており…　⬆賢者を臣下にしたいと**合う**◎

④ 君主は賢者の意見を聞こうと思っており…　⬆賢者を臣下にしたいと**合わない**×

⑤ 君主は賢者の称賛を得ようと思っており…　⬆賢者を臣下にしたいと**合わない**×

君主は「賢を求めている」のであって、「賢者の意見」とか「賢者の賞賛」を求めているとは解釈できません。これは「美を求める」を「美人の誘惑を求める」と解釈できないのと同じです。というわけで、上段の段階で④・⑤を消去。

① 賢者は無能な臣下を退けたいと思っている　←用を致したいと**合わない**×
② 賢者は君主の要請を辞退したいと思っている　←用を致したいと**合わない**×
③ 賢者は君主の役に立ちたいと思っている　←用を致したいと**合う**◎
④ 賢者は自分の意見は用いられまいと思っている　←**否定文**×
⑤ 賢者は君主に信用されたいと思っている　←用を致したいと**やや合う**△

「君主は賢者を臣下として登用したいと思っている」の対比と考えれば、「賢者は**君主に仕えて役に立ちたいと思っている**」と解釈できます。少なくとも賢者が「無能な臣下を退けたい」とか「君主の要請を辞退したい」では、「賢者を登用したい」の**対比になりません**。「用を致す」からも遠いです。その点で「君主に信用されたい」も対比としては不適です。といっても、もう④・⑤は消えているので、迷っても平気。なお④の「…まい」は「…したくない」を意味し、二重否定と合いません。正解は③。

 次の問いに答えよ。 制限時間 4分

豈不以貴賤相懸、朝(注1)野相隔、堂(注2)遠於千里、門(注3)深於九重。

(注)1 朝野――朝廷と民間。 2 堂――君主が執務する場所。 3 門――王城の門。

問 右の書き下し文として最も適当なものを、次の①～⑤のうちから一つ選べ。 難易度 ★★★☆☆

① 豈に貴賤相懸《あひへだ》たるを以てならずして、朝野相隔たり、堂は千里よりも遠く、門は九重よりも深きや
② 豈に貴賤相懸たり、朝野相隔たるを以てならずして、堂は千里よりも遠く、門は九重よりも深きや
③ 豈に貴賤相懸たり、朝野相隔たり、堂は千里よりも遠きを以てならずして、門は九重よりも深きや
④ 豈に貴賤相懸たり、朝野相隔たり、堂は千里よりも遠きを以て、門は九重よりも深からずや
⑤ 豈に貴賤相懸たり、朝野相隔たり、堂は千里よりも遠く、門は九重よりも深きを以てならずや

1時間目
2時間目
3時間目
4時間目
5時間目
6時間目
7時間目
8時間目
9時間目
10時間目

解説

対句を見つけて線を引き、並べて整理します。

貴賤相懸　堂遠於千里
＝　　＝　　＝
朝野相隔　門深於九重

反対語のない対句です。「貴賤」「朝野」はほぼ同義語。「貴賤」は「身分の高い官僚と身分の低い庶民」、「朝野」は「朝廷（官僚）と民間（庶民）」を意味します。「懸」「隔」は完全に同義語で、どちらも「へだたる」。「堂」「門」も、どちらも君主のいる場所。

句形は、「**豈不ー**」＝読「豈にーずや」＝訳「ーではないか」、「**以ー**」＝読「ーを以て」＝訳「ーだから」、「形容詞＋**於ー**」＝読「ーより（も）形容詞」の三つ。なお「豈にーずや」に着目すると、いきなり二択。

でも、ここでは**対句を踏まえて選択肢を絞ります。**

①　豈に貴賤相懸たるを以てならずして、朝野相隔たり、堂は千里よりも遠く、門は九重よりも深きや

②　豈に貴賤相懸たり、朝野相隔たるを以てならずして、堂は千里よりも遠く、門は九重よりも深きや

③　豈に貴賤相懸たり、朝野相隔たり、堂は千里よりも遠きを以てならずして、門は九重よりも深きや

④　豈に貴賤相懸たり、朝野相隔たり、堂は千里よりも遠きを以て、門は九重よりも深からずや

⑤　豈に貴賤相懸たり、朝野相隔たり、堂は千里よりも遠く、門は九重よりも深きを以てならずや

「貴賤相懸、朝野相隔」「堂遠於千里、門深於九重」はセット。前置詞「以」と組み合わせるなら、「〈貴賤相懸、朝野相隔〉を以て」か「〈貴賤相懸、朝野相隔／堂遠於千里、門深於九重〉を以て」のどちらかです。対句を無視して「貴賤相懸たるを以て」「堂は千里よりも遠きを以て」と読んだりはしません。この段階で①・③・④を消去。

二つまで絞ったら訳してみよ。意味不明なら誤りだ。

例えば、②は「朝廷と民間が隔たっているからではなく、堂は千里よりも遠く、門は九重よりも深いのではなかろうか」で意味不明（「…からではなく…からだ」なら通じます）。一方、⑤は「朝廷と民間が隔たっており、堂は千里よりも遠く、門は九重よりも深いからではないか」となって意味が通じます。正解は⑤。

ミッション 23

次の問いに答えよ。

制限時間 4分

是ノ故ニ人君必ズ清メテレ心ヲ以テ澂《のぞ》ミレ之ニ、虚《むな》シクシテレ己ヲ以テ待スルコトレ之ニ、如ク二鑑《かがみ》之明ナルガ一、如クナレバ二水之止マルガ一、則チ物(注1)至ルモ而不レ能ハレ罔《し》フルコト(注2)レ矣。

(注) 1 物――外界の事物。 2 罔――心をまどわすこと。

問 傍線部に関する説明として最も適当なものを、次の①～⑤のうちから一つ選べ。 難易度★★★☆☆

① 君主のもとに人々の意見が集まることが、まるで水が低い場所に自然とたまっていくようであるということ。

② 君主が公平な裁判を常に行っていることが、まるで水の表面が平衡を保っているようであるということ。

③ 君主が雑念をしりぞけて落ち着いていることが、まるで波立っていない静かな水のようであるということ。

④ 君主のこれまで積んできた善行の量の多いことが、まるで豊富に蓄えられた水のようであるということ。

⑤ 君主が無欲になって人々のおごりを戒めることが、まるであふれそうな水をせき止めるようであるということ。

解説

対句を見つけて線を引き、並べて整理します。

解釈、書き下しに続いて説明問題でも対句は大活躍します。**対句に死角なし**です。

清レ心以涖レ之　如二鑑之明一

＝　　　　＝　　　　＝

虚レ己以待レ之　如二水之止一

傍線部を含む一文全体を見ると、対句が二組もあります。

ここで**別字変換**と**熟語錬金術**の出番。「涖《のぞ》み」は「臨《のぞ》み」に変換。「待」は待遇・優待など。「鑑《かがみ》」は「鏡《かがみ》」に変換。ここで四字熟語「明鏡止水」に気づければなおよし。意味は「曇りのない鏡と静かな水」で、「なんのわだかまりもなく、落ち着き澄みきった静かな心境」を表現しています。とにかく「水の止まる」＝「静止した水」がわかれば大丈夫。

対句を踏まえて直訳すると、「君主が心を清くし己を虚しくしてこれに臨みこれを扱うことが、まるで明鏡止水のようである」です。

さて、**共通テストの選択肢は縦ではなくて横に見る。**まず上段から検討します。

第一の対句「君主が心を清くし己を虚しくする」を念頭に置けば、①「人々の意見が集まる」、②「公平な裁判を常に行っている」が秒で消え、④「これまで積んできた善行の量の多い」、⑤「無欲になって人々のおごりを戒める」はギリだとわかります。

次に第二の対句「明鏡止水（明るい鏡と止まった水のようだ）」を念頭に置いて下段の検討に移ります。①「水が低い場所に自然とたまっていくよう」、④「豊富に蓄えられた水のよう」、⑤「あふれそうな水をせき止めるよう」が秒で消えます。②「水の表面が平衡を保っているよう」は「静止した水」と合いそうですが、上段ですでに消えています。

正解は③。「雑念をしりぞける」がまさに「心を清くし己を虚しくする」の意味で、「波立っていない静かな水」がまさに「止水（静止した水）」の意味に当たります。

以上、この時間では、対句を利用して問題を解くスゴ技を扱いました。**対句を見つけて線を引き、並べて整理せよ。**過去問を解けば、いかに対句がらみの問題が多いかに気づけるでしょう。**ぜひ対句を武器に問題を秒殺してやってください。**

8時間目

意外に易しい「説明問題」

◎文脈なんか頼りにならない

この時間は、説明問題対策を行います。

①語彙《ごい》問題、②書き下し問題、③解釈問題までは、知識（句形・副詞・「ならでは語」）で対応できますが、説明問題はもちろん**本文をしっかり読解したうえで、その読解結果を踏まえて解きます。**

ところが、こう書くと、何の戦略もなく、ただ本文をなんとなく読んで、選択肢をなんとなく見て、正解をなんとなく選ぶ人が出てきます。

説明問題なんて**ロジックゲームみたいなもの**。本文に「関口は羽田と友だちだ」とあり、選択肢に「①関口は羽田の恋人だ、②関口は張本の友人だ、③関口は羽田と幼なじみだ、④羽田は関口の友人だ」とあって、「どれが本文の内容と合うか」と聞かれているだけです。正解は④。友だち＝幼なじみとは限らないので、③は不適です。

文脈＝フィーリングではありません。

むやみに読んで、むやみに解いても、正解したりしなかったりするだけです。読みのポイントを押さえて戦略的に読んでいくこと、そのポイントに従って選択肢を選んでいくことが大事です。というわけで、読みのポイント。「**七大点**」（⬇022ページ）です。

①句形
②副詞・「ならでは語」
③多訓多義語
④主語・目的語
⑤代名詞の指示内容
⑥反語・二重否定
⑦対句

訓読するだけで満足せず、句形・副詞・「ならでは語」・多訓多義語をきっちり訳すこと（①・②・③）。代名詞の中身も考えて主語・目的語を明確にすること（④・⑤）。反語・二重否定を処理すること（⑥）。対句を整理すること（⑦）。以上、**それだけ**です。

ミッション 25 次の問いに答えよ。

制限時間 6分

「有《リテ》蛇螫《ミテ》殺《シ》人《ヲ》、為《リ》冥《めい》(注1)官《くわんノ》所《ト》追(注2)議《スル》、法《ハ》当《タル》死《ニ》。蛇前《すすミ》訴《ヘテ》曰《ハク》、『誠《ニ》有《リ》罪、然《レドモ》亦《タ》有《リ》功、可《シト》以《テ》自《ラ》贖《あがなフ》。』冥官曰《ハク》、『何《ノ》功《ナル》也《かト》。』蛇曰《ハク》、『某《それがし》有《リ》黄、可《シ》治《ス》病《ヲ》、所活《いカス》已《ニ》数人《ナリト》矣。』吏考(注3)験《スルニ》、固《ヨリ》不《レバ》誣(注4)《しヒ》、遂《ニ》[X]。良《やや》久《シクシテ》、牽《ひキテ》一牛《ヲ》至《ル》。獄吏曰《ハク》、『此《ノ》牛触《つキテ》殺《ス》人《ヲ》。亦《タ》当《タルト》死《ニ》。』牛曰《ハク》、『我《モ》亦《タ》有《リ》黄、可《シ》以《テ》治《ス》病《ヲ》、亦《タ》活《カスト》数人《ヲ》矣。』良久《シクシテ》、亦《タ》[X]。

(注)1 冥官――冥界の裁判官。古来中国では、死後の世界にも役所があり、冥官が死者の生前の行いによって死後の処遇を決すると考えられていた。

2 追議――死後、生前の罪を裁くこと。

3 考験――取り調べること。

4 誣――欺く。いつわって言う。

問　本文中の二カ所の空欄[X]にはどちらも同じ語句が入る。その語句を(i)の①～⑤のうちから一つ選べ。また(i)の解答を踏まえて、本文から読み取れる蛇と牛に対する冥官の判決理由を説明したものとして最も適当なものを、(ii)の①～⑤のうちから一つ選べ。　難易度★★★☆

(i)　①　得レ免　②　不レ還　③　有レ功　④　得レ死　⑤　治レ病

(ii)

①　蛇も牛も、生前人を殺した上に、死後も「黄」によって人を病気から救うことができるとでたらめを言って、反省していない。よって、死罪とする。

②　蛇も牛も、人を殺してきた罪は許しがたい。よって、今後「黄」によって人を救う可能性はあっても、冥界に留め置き罪を償わせることとする。

③　蛇も牛も、人を殺してきたが、体内の「黄」で将来は人の命を救う可能性は残っている。よって、人の病気を治すことで罪を償わせることとする。

④　蛇も牛も、人を殺すという重大な罪を犯したが、自らの「黄」によって人を病気から救ってもきた。よって、生前の罪を許すこととする。

⑤　蛇も牛も、人を殺してきたというのは誤解で、むしろ大勢の人を「黄」によって病から救うという善行を積んできた。よって、無罪とする。

ポイントチェック

句形は「為―所…」＝読「―の…する所と為る」＝訳「―に…される」くらい。

副詞は、「誠に」＝「マジで」、「亦た」＝「…もまた」、「已に」＝「…した」「もう…している」、「固より」＝「当然」「間違いなく」、「遂に」＝「そうして」「その結果」。このうち「已に」が問題を解く鍵になります。

なお、**反語・二重否定**、**対句**はなし。

それでは、**主語・目的語**を明確にしながら、直訳していきます。

【直訳】「蛇が人を嚙《か》み殺し、冥官**に**訴追**され**て、法律では死刑に該当した。蛇は進み出て『マジで罪はあります。でも、功績**もまた**ありますので、自分で自分の罪を償うことができます』と言った。冥官が蛇に『どんな功績か』とたずねると、蛇は『それがし（の体内）には（漢方薬の材料の）黄があり、病気を治せます。生かした人は**もうすでに**数人にのぼって**おります**』と答えた。獄吏《ごくり》が取り調べたところ、**間違いなく**（蛇の言葉に）嘘はなかったので、**その結果**、X としました。しばらくして（獄吏が）一頭の牛を牽《ひ》いてきた。獄吏が『この牛は人を（角で）突き殺しました。（この牛も）**また**死刑に当たります』と言うと、牛は『私**もまた**（蛇と同じく体内に）黄があり、病気を治せます。私**もまた**（蛇と同じように）数人を生かしております』と答えた。しばらくして（牛も）**また**X となった。

解説

まず(i)から。蛇は罪を認めたうえで、体内の「黄」で数人の命をすでに救っており、この功で罪を償うことができる、と主張しました。獄吏が調べたところ、その言葉に嘘はありません。というわけで、死刑は？　そう。**なし**ですよね。

選択肢を見ると、

① 読「免るるを得たり」＝訳「**免れることができた**」
② 読「還らず」＝訳「**帰らなかった**」
③ 読「功有り」＝訳「**功績があった**」
④ 読「死を得たり」＝訳「**死刑にされた**」
⑤ 読「病を治む」＝訳「**病気を治した**」

死刑がなしになった、という意味になるのは①のみ。正解は①。

次に(ii)。直訳をもう一度見て。問題を解く鍵となるところには、線を引きました。

「マジで罪はある」「『黄』で数人の命を**すでに**救ってきた」「嘘はなかった」です。

①（×）…死後も「黄」によって人を病気から救うことができると**でたらめ**を…
⬇「でたらめ」ではない。「数人の命を**すでに**救ってきた」し、「嘘はなかった」。

②（×）…**今後**「黄」によって人を救う**可能性**はあっても…
⬇「今後」でも「可能性」でもない。「数人の命を**すでに**救ってきた」。

③（×）…体内の「黄」で**将来**は人の命を救う**可能性**は残っている。…
⬇「将来」でも「可能性」でもない。「数人の命を**すでに**救ってきた」。

④ …自らの「黄」によって人を病気から救っても**きた**。…
⬇**正解**！ 正しく「已に」を踏まえて解釈している。

⑤（×）蛇も牛も、人を殺してきたというのは**誤解**で…。
⬇「誤解」ではない。「マジで罪はある」、つまり人を実際に殺している。

(i)の解答を踏まえずに(ii)を解いてみました。もちろん(i)の解答に自信があるなら、「無罪」に着目するだけで④・⑤。「…誤解で」で⑤が消えて、正解は④。

ミッション 26

次の問いに答えよ。

制限時間 5分

夫レ必ズ以テスル二族類ヲ一者、蓋シ賢愚有リレ貫クコト、善悪有リレ倫《ともがら》、若シ
以テレ類ヲ求ムレバ、必ズ以テレ類ヲ至レバナリ。此レ亦タ猶ホク二水ノ流レレ湿ニ、火ノ就クガ㆑燥ニ、自
然之理也。

問 傍線部「自然之理也」はどういう意味を表しているのか。その説明として最も適当なものを、次の①～⑤のうちから一つ選べ。

難易度 ★★★☆☆

① 水と火の性質は反対だがそれぞれ有用であるように、相反する性質のものであってもおのおの有効に作用するのが自然であるということ。

② 水の湿り気と火の乾燥とが互いに打ち消し合うように、性質の違う二つのものは相互に干渉してしまうのが自然であるということ。

③ 川の流れが湿地を作り山火事で土地が乾燥するように、性質の似通ったものはそれぞれに大きな作用を生み出すのが自然であるということ。

④ 水は湿ったところに流れ、火は乾燥したところへと広がるように、性質を同じくするものは互いに求め合うのが自然であるということ。

⑤ 水の潤いや火による乾燥が恵みにも害にもなるように、どのような性質のものにもそれぞれ長所と短所があるのが自然であるということ。

ミッション 26 解答 ↓ 正解は 4

解説

傍線部の前後を広めにチェックするのがコツ。説明問題の答えは傍線部の直前か直後にあります。でも、視野を広くして前後二・三文、二・三行は目を通してください。

句形は再読文字「A**猶**B」＝読「Aは猶ほBのごとし」＝訳「AはまるでBと同じようだ」。前置詞「**以**…」＝読「…を以て」＝訳「によって」。副詞は「夫れ《そ》（そもそも）」「蓋《けだ》し（思うに）」「若《も》し（もし）」「亦《ま》た（も・やはり）」くらい。「ならでは語」はなし。

ここで**熟語錬金術《れんきんじゅつ》と別字変換**の出番。「族類」は同族の族と同類の類の組み合わせで「仲間」。「貫」は貫通の貫で「通ずる」。「倫《ともがら》」＝「輩《ともがら》」で「仲間」。指示語「此」の中身は大事。反語・二重否定はなし。で、**対句があります**。

賢愚 ＝ 善悪
有レ貫 ＝ 有レ倫

水 ⟷ 火
流レ湿 ⟷ 就レ燥

対句の原則「意味は同じか反対」を踏まえて解釈します。

「貫」と「倫」は同義語で、「賢愚・善悪には仲間がある」。ここで、「類は友を呼ぶ」だと気づければ、読解はほぼ終了。次の対句「水は湿潤に流れ、火は乾燥に就く」も、それぞれ似たものに近づくという意味で、やはり「類は友を呼ぶ」。

本文を雑に訳すと、「そもそも族類によってするのは、**賢人は賢人と、愚人は愚人と仲間になる**からだ。もし類で求めれば、必ず類で至るだろう。これ（＝**賢人は賢人と、愚人は愚人と仲間になること**）も**水が湿に流れ、火が燥につく**のと同じ自然の理だ」。

これで準備完了。①・②・③・⑤は「類は友を呼ぶ」と無関係で、④だけ「性質を同じくするものは互いに求め合う」とあってどんぴしゃ。正解は④です。

傍線部直前の対句「水流湿、火就燥」だけでも解けるけど、広く「夫必」から見ることで、対句「賢愚有貫、善悪有倫」という最大の手がかりを見つけられました。

制限時間 3分

次の文章は、唐代の詩人杜甫《とほ》が、叔母の死を悼《いた》んだ文章である。これを読んで、後の問いに答えよ。

嗚《あ》呼《あ》哀《シイ》哉《かな》。有《リ》二兄《ノ》子一曰《フ》レ甫《ト》、(注1)制《シ》(注2)二服《ヲ》於斯《ここニ》一、紀《しるシ》二徳《ヲ》於斯《ニ》一、刻《きざム》(注3)二石《ヲ》於斯《ニ》一。或《あるひと》曰《ハク》、「豈《あニ》(注4)二孝童之猶子《ナル》与《か》、奚《なんゾ》孝義之勤《つとムルコト》若《キト》レ此《クノ》。」

(注)1 甫——杜甫自身のこと。
2 制二服於斯一——喪に服する。
3 刻二石於斯一——墓誌（死者の経歴などを記した文章）を石に刻む。
4 豈孝童之猶子与——あの孝童さんの甥ですよね、の意。杜甫の叔父杜幷は親孝行として有名で、「孝童」と呼ばれていた。「猶子」は甥。

問 傍線部「奚孝義之勤若レ此」から読み取れる杜甫の状況を説明したものとして最も適当なものを、次の①～⑤のうちから一つ選べ。

難易度★★★☆☆

① 杜甫は若いにもかかわらず、叔母に孝行を尽くしている。
② 杜甫は実の母でもない叔母に対し、孝行を尽くしている。
③ 若い杜甫は仕事が忙しく、叔母に対して孝行を尽くせていない。
④ 杜甫は実の母でもない叔母には、それほど孝行を尽くしていない。
⑤ 杜甫は正義感が強いので、困窮した叔母に孝行を尽くしている。

ヒント

この問題ほど、注・前書きが重要だった問題はありません。

注・前書きに答えが書いてある。

と考えてもいいです。前書きの「杜甫が、叔母の死を悼んだ文章」、注の「あの孝童さんの甥ですよね」を踏まえれば、それだけで問題を解けます。

ミッション 27 解答 ↓ 正解は 2

ポイントチェック

説明問題の答えは**傍線部の前後に書いてあります**（多くが前）。今回もそうです。それでも**まずは傍線部の読解から**です。傍線部をしっかり見て、句形・副詞・「ならでは語」がないか確認します。

ココ **奚**《なんゾ》**孝義之勤**《ムルコト》 ココ **若**《キト》**レ此**《クノ》

ありましたね。「奚ぞ」と「此くのごとし」が。ところで、この「奚ぞ」、疑問と反語どっち？　そう。疑問です。文末が①**未然形＋ん（や）**↓**反語**、②**連体形（＋か・や）**↓**疑問**でした。「若レ此」は、読「…すること此くのごとし」＝訳「このように…する」ですから、傍線部の訳は「なぜこんなにも孝義に熱心なのか」です。

いよいよ傍線部の前に目を向けると、反語で有名な「豈」がありますが、文末に注目。「豈に…連体形＋か」は**推量**の句形で、「…ではないか」「…であろう」と訳します。でも今回は作問者が難しいと考えたのか、注がありました。で、**対句**の仲間があります！

制㆓服於斯㆒　紀㆓徳於斯㆒　刻㆓石於斯㆒

注・前書きを踏まえて解釈すると、杜甫は叔母のために喪に服し、彼女の徳を記して、その文〈＝墓誌〉を墓に刻んだ――。叔母のためにそこまでする人は少なかったようで、ある人が杜甫に「あなたは孝童さんの甥ですよね。なんでそんなにも孝行に熱心なんですか」と聞くほどでした。

それでは、選択肢を吟味。まず「孝行を尽くせ（し）ていない」とある③と④を消します。典型的な反語文の言いかえで、傍線部の疑問の句形と合いません。次に「若い」とある①も消去。「此くの若《ごと》き」を「若《わか》き」と読んだ人用のひっかけです。最後に⑤には「困窮した叔母に」とあり、彼女が生きている前提で、かつ困窮した彼女のために墓誌を書くのは不自然過ぎるので（何の足しにもならない）、これも消去。正解は②。

8 時間目のスゴ技!!

説明問題は本文を読んでから解け

いきなり当たり前のことを力説しますが、

本文を読んでから解け。いくら選択肢を見ても答えは出ない。

いくら選択肢を見ても答えは出せません。この章冒頭（120ページ）の選択肢④「羽田は関口の友人だ」が正解かどうかを判断するためには、本文に「羽田は関口の友人だ」と書いてあるかどうかを確認するしかないからです。**本文を見なければ、答えは出せません。**

それでは、本文のどこを見るのか。

①**句形**、②**副詞・「ならでは語」**、③**多訓多義語**、④**主語・目的語**、⑤**代名詞の指示内容**、⑥**反語・二重否定**、⑦**対句**、つまり七大点でしたね。こうした要素を正しく解釈できているかどうかを出題者は試しているわけです。

「理由を説明せよ」「前後の状況を説明せよ」など、説明問題の種類はいくつかありますが、要するに、**本文を正しく読めているかどうかを試している**のです。句形・副詞・「ならでは語」・多訓多義語を正しく訳せるか、主語・目的語を正しく補えるか、代名詞の指示内容を正しく理解できるか、反語・二重否定を正しく解釈できるか、対句を踏まえて解釈できるか。これらのポイントで、出題者はみんなが正しく本文を読めているかを試すのです。

説明問題をなんとなく解いている人もいますが、もったいないです。

解き方は解釈問題とあまり変わりません。解釈問題でも、句形、副詞・「ならでは語」、多訓多義語、主語・目的語、代名詞の指示内容、反語・二重否定、対句がポイントでしたね。傍線部の句形や副詞に着目したり、反語・二重否定を処理したりしました。

説明問題でも同じです。違うのは、傍線部ではなく、**傍線部前後の文章**の句形や副詞に着目したり、反語・二重否定を処理したりするところです。要するに、本文を正しく読めばいいんです、読めば。

繰り返しですが、**説明問題は本文を読んでから解け**、です。

9時間目

ルールで解ける「詩」

◎詩が出れば、一問はもらったようなもの

共通テストでは、開始二年連続で詩が出題されるなど、ハイペースで詩が出ています。

詩にはなんか複雑なルールがあるっぽいし、注もやたら多いから、「詩はめんどい」という印象があるかもしれません。

でも詩が出れば、知識で解ける問題が必ず一つか二つはあります。ほんの少し詩のルールを学んでおくだけで、センター試験では、一問8点、うまくいけば二問16点も稼げました。

そんなにコスパがよいなら、学ばない手はないですよね。

というわけで、

詩の問題は知識で解ける。

9時間目のスゴ技!!

詩の問題はルールで解く　ルールで絞《しぼ》る

それでは、詩のルールを確認しましょう。見慣れない言葉が出てきますが、覚えるべき項目はごくわずかです。

◎ルール①　詩形

(a) 一句あたりの字数　**五字**⬇**五言**　**七字**⬇**七言**

(b) 一首あたりの句数　**四句**⬇**絶句**　**八句**⬇**律詩**　その他⬇古詩（古体詩）

覚えることは「**句の数が四つなら絶句、八つなら律詩**」だけです。

◎ルール②　押韻《おういん》

(a) **押韻**（韻を踏む）とは、**同類の母音を持つ字**を一定間隔で並べること。
(b) 漢詩では、**偶数句の最後の字**が韻字（韻を踏む字）になる。
(c) **七言**詩は、**第一句の最後の字**も原則として韻を踏む。

詩に関する問題の中では、いちばん出題率が高いです。**詩で空欄補充問題があったら、基本的に押韻で解けます**。具体的な解法はあとで。

◎ルール③　対句

(a) **律詩**は、四つの「**聯**《れん》」（二句のまとまり）で成り立つ。首聯《しゅれん》・頷聯《がんれん》・頸聯《けいれん》・尾聯《びれん》。
(b) **律詩**では、**第三句と第四句**（頷聯）、**第五句と第六句**（頸聯）が**必ず対句になる**。
(c) 対句がもう一組増える場合もある（最大四つの聯すべてが対句の場合もある）。

◎ルール④　もう一つの対句

(a) **一つの句の中に対句が含まれる**場合がある。

(b) 五言詩は二字と三字、七言詩は四字と三字の組み合わせで、いびつな対句になる。

覚えることは「**律詩には必ず対句がある**」です。そういうルールでした。

ほかに対句を入れるかどうかは作者の自由です。たった四句しかない絶句に対句が入っていたりもしますし、長い古詩にはだいたい対句が複数入っています。7時間目に扱ったとおり、①形が似ていて、②内容がペアになっていたら、それは対句です。絶句・律詩・古詩を問わず、とりあえず対句を探しましょう。

もともと対句に関する問題は定番中の定番です。詩だろうがなんだろうが、そこに対句があれば、問題になります。律詩の場合は必ず対句があるので、要注意というわけです。

それでは、ミッションを通じて具体的な解き方を学んでいきましょう。

まずは押韻の問題です。

ミッション 28

次の問いに答えよ。

制限時間 2分

（注1）卜《ぼく》シテレ室ヲ倚《よ》リ二北ノ皐《をか》ニ一　啓《ひら》キテレ扉ヲ面《ス》二南ノ江《かは》ニ一

激《せきと》メテレ澗《たにがは》ヲ代《へ》レ汲《ムニ》レ井ヲ　挿《う》エテレ槿《むくげ》ヲ当《ツ》レ列《つらな》ルニレ墉《かき》ニ

群木既ニ羅《つらな》リレ戸ニ　衆山亦タ対《ス》レ□ニ

（注2）靡《び》迤《い》トシテ趨《おもむ》キ二下田ニ一　（注3）迢《てう》遞《てい》トシテ瞰《み》ル二高峰ヲ一

（『文選』による）

（注）1　卜レ室――土地の吉凶を占って住居を建てる場所を決めること。

2　靡迤――うねうねと連なり続くさま。

3　迢遞――はるか遠いさま。

問　空欄□に入る文字として最も適当なものを、次の①～⑤のうちから一つ選べ。

① 窓　② 空　③ 虹　④ 門　⑤ 月

難易度 ★★★★☆

ミッション 28 解答 ➡ 正解は 1

ポイントチェック

定番の空欄補充問題です。まずは韻字＝**偶数句の最後の字**に着目します。

…**面二南江一**　…**当レ列レ墉**　…**亦対レ□**　…**瞰二高峰一**

（ココ）（ココ）（ココ）（ココ）

空欄に入るのは、この「江」「墉」「峰」と韻を踏んでいる字です。次に、「江」「墉」「峰」を**音読み**します。

音読みは熟語で確認せよ。

例えば、「服《ふく》」「菊《きく》」が音読みか訓読みか判断するのは難しいです。でも、熟語は原則として音読みと音読み、訓読みと訓読みの組み合わせなので、「服装《ふくそう》」「感服《かんぷく》」「春菊《しゅんぎく》」「菊花賞《きっかしょう》」を思い浮かべれば、「服《ふく》」「菊《きく》」は音読みだと確認できます。

「江」「墉」「峰」の音読みは、長江《ちょうこう》の「江《こう》」に、最高峰《さいこうほう》の「峰《ほう》」。「墉」は見慣れない字ですが、**部首じゃないほう**の「庸《よう》」に着目すれば、音読みは「墉《よう》」かなと推測できます。

最後に、**選択肢を音読み**します。こちらも熟語で確認すると、同窓《どうそう》の「窓《そう》」、空中《くうちゅう》の「空《くう》」、虹彩《こうさい》の「虹《こう》」、校門《こうもん》の「門《もん》」、来月《らいげつ》の「月《げつ》」。これで準備完了です。

解説

「江」「墉」「峰」と韻を踏むのは「窓」「空」「虹」の三つ。「窓 sou」「虹 kou」と「空 kuu」では少しズレがありますが、この程度なら韻字だと見なしておきます。

いずれにせよ、このままでは答えは出ません。

問題文は前後を省略したもので、律詩ではありませんが、注意して見ると、第五句と第六句が**対句**になっています（実際はすべて対句）。この対句に気づけば、あと一歩です。

群木既羅レ戸
衆山亦対レ□

（木—山：ペア）（戸—□：ペア）

「戸」とペアになる字を選ぶだけ。部屋の開口部つながりで、正解は①「窓」です。

ミッション 29

次の問いに答えよ。

制限時間 2分

我来リテ二揚（注）子江頭ニ一望メバ
一片ノ白雲数点ノ□
安《いづ》クンゾ得ン丁置キ二身ヲ天柱ノ頂ニ一
倒《さかしま》ニ看ル丙日月ノ走ル乙人間ヲ甲

（姚元之《ようげんし》『竹葉亭雑記《ちくようていざっき》』による）

（注） 揚子江――長江の別名。

問 傍線部について、(a)空欄に入る語と、(b)この句全体の解釈との組合せとして最も適当なものを、次の①～⑤のうちから一つ選べ。

難易度★☆☆☆

① (a) 淡――(b) 白い雲の切れ間から数本の淡い光が差し込んでいる。
② (a) 楼――(b) 空の片隅に浮く白い雲と幾つかの建物が見えている。
③ (a) 雨――(b) 白い雲が空一面に広がり雨がぽつぽつと降り始める。
④ (a) 山――(b) ひとひらの白い雲と幾つかの山があるばかりである。
⑤ (a) 鳥――(b) 空には一つの白い雲が漂い数羽の鳥が飛んでいる。

ポイントチェック

また空欄補充問題。手順どおり韻字に着目しますが、今回は**七言詩**なので、偶数句に加えて**第一句の最後の字も韻を踏んでいる**はずです。

…江頭一**望**（ココ）　…数点□（ココ）　…走乙人**間**甲（ココ）

次に、韻字の音読みを確認。希望《きぼう》の「望《ぼう》」と人間《にんげん》の「間《げん》」で、どう見ても韻を踏んでいません。

次に、選択肢の音読みも確認。淡白《たんぱく》の「淡《たん》」、摩天楼《まてんろう》の「楼《ろう》」、梅雨《ばいう》の「雨《う》」、山岳《さんがく》の「山《さん》」、鳥獣《ちょうじゅう》の「鳥《ちょう》」で、「望 bou」の韻字は「楼 rou」。「間 gen」の韻字にどんぴしゃはなく、近いもので「淡 tan」「山 san」。どちらにせよ、このままでは答えは出ません。

▼解説

偶数句を優先せよ。

七言詩でも、第一句末の字が必ず韻を踏んでいるとは限りません。あくまで原則です。というわけで、**押韻の問題を解くときは何より偶数句を優先します**。第一句に着目するのは、①偶数句末の字を読めないとき、②七言詩の第一句末に空欄があるときくらいです。

音読みは一つだけとは限らない。

例えば、「聞」「流」には、新聞《しんぶん》・聴聞会《ちょうもんかい》、激流《げきりゅう》・流浪《るろう》、二つの音読みがあります。「空」に至っては「空《くう》」「空《こう》」「空《く》」の三つです。「間」も、「間《げん》」のほか、間隔《かんかく》の「間《かん》」で二つ。そもそも漢文で見る「人間」は「人間《じんかん》」と読み、「人間世界」「世の中」を意味します。

というわけで、偶数句の「間《かん》 kan」に着目して「淡 tan」「山 san」に絞ります。

今回も押韻だけでは解けないので、またも**対句**に着目。注意して見ると、第二句は「一片白雲／数点□」、**四字と三字の対句**になっています。「雲」とペアになるのは「山」。正解は④です（解説の都合上、対句に着目しましたが、「一片の白雲」に着目できれば、それだけで④「ひとひらの白い雲」、⑤「一つの白い雲」の二つに絞れます）。

ミッション 30

次の問いに答えよ。

制限時間 3分

謬《あやま》リテ被《れ》二文王ニ載セ得テ帰ラ一

一《いっ》竿《かん》ノ風月与レ心違《たが》フ

想《おも》フ君ガ牧《ぼく》野《や》鷹《よう》揚《やう》ノ後

夢ハ在《ラン》二磻《はん》渓《けい》ノ旧釣《てう》磯《き》ニ一

（佐藤一斎《さとういっさい》「太公垂釣《たいこうすいちょう》の図《ず》」による）

問 佐藤一斎の漢詩に関連した説明として正しいものを、次の①～⑥のうちから、二つ選べ。

難易度★★★★☆

① この詩は七言絶句という形式であり、第一、二、四句の末字で押韻している。

② この詩は七言律詩という形式であり、第一句と偶数句末で押韻し、また対句を構成している。

③ この詩は古体詩の七言詩であり、首聯、頷聯、頸聯、尾聯からなっている。

④ この詩のような作品は中国語の訓練を積んだごく一部の知識人しか作ることができず、漢詩は日本

人の創作活動の一つにはならなかった。

⑤ この詩のような作品を読むことができたのは、漢詩を日本独自の文学様式に変化させたからで、日本人は江戸時代末期から漢詩を作るようになった。

⑥ この詩のように優れた作品を日本人が多く残しているのは、古くから日本人が漢詩文に親しみ、自らの教養の基礎としてきたからである。

ミッション30 解答 正解は ① ⑥

解説

課題文の漢詩は一句七字かつ四句なので、詩形は**七言絶句**です。「四句＝絶句、八句＝律詩、それ以外＝古詩（古体詩）」のルールを思い出しましょう。

というわけで、「七言律詩」とある選択肢②を消去。実は古体詩に句数の決まりはなく、四句の古体詩も十分にありえるのですが、**「聯」は二句のまとまり**で、「首聯、頷聯、頸聯、尾聯」では計八句になるので、選択肢③も消えます。

次に、押韻する字は「五言詩＝偶数句末、七言詩＝第一句末＋偶数句末」でした。確認すると、帰宅《きたく》の「帰《き》」、違反《いはん》の「違《い》」は問題なし。「磯」の熟語は「磯釣《いそづ》り」「荒磯《あらいそ》」など訓読みのものしか思い出せないですが、**部首じゃないほう**の「幾」に着目すれば、幾何学《きかがく》の「幾《き》」なので、音読みは「磯《き》」と推測できます。「磯」も「幾」も音読みできない場合は、**適当な部首を足して**「機《き》」などにすれば、音読みを推測できます（フリガナはありますけど）。

というわけで、「帰」「違」「磯」は韻を踏んでいるので、選択肢①の「第一、二、四句の末字で押韻している」に問題はありません。正解の一つは①。

選択肢の後半は、日本の漢文受容史の問題になっています。

共通テストは、漢文と日本の言語文化との関係を受験生に気づいてもらうことも問題の狙いにしています。故事成語（「無用の用」「水魚の交わり」「太公望」「朝三暮四」「明鏡止水」）を取り上げたり、日本人の漢詩文（新井白石《あらいはくせき》・安積艮斎《あさかごんさい》の漢文や佐藤一斎の漢詩）を取り上げたりしたのは、この狙いに基づいています。

というわけで、日本漢詩文の歴史について大雑把に確認しておきましょう。

漢字・漢文がいつごろ日本に入ってきたのか、実は定説はありませんが、現在確認できる最も古い純漢文体の文章には、聖徳太子《しょうとくたいし》の「十七条憲法」があります。

奈良時代に入り、『古事記』序文や『日本書紀』が純漢文体で書かれました。七五一年には**日本最古の漢詩集**『**懐風藻**《かいふうそう》』が編纂《へんさん》されます。なんと同じ奈良時代に成立した日本最古の歌集『万葉集』よりも少し前のことです。**平安時代**には、勅撰《ちょくせん》漢詩文集の『凌雲集《りょううんしゅう》』『文華《ぶんか》秀麗集《しゅうれいしゅう》』『経国集《けいこくしゅう》』が編纂されるなど、**日本漢詩文は全盛期を迎えました。**

ところが、鎌倉時代以降、勢いを失います。このころは京都五山の禅僧たちが細々と漢詩文を作るにとどまっていました。いわゆる五山文学です。

江戸時代に入り、幕府が朱子学《しゅしがく》を奨励したこともあって**漢詩文が勃興《ぼっこう》します。**藤原惺窩《ふじわらせいか》、林羅山《はやしらざん》、新井白石、荻生徂徠《おぎゅうそらい》など、名だたる儒学者があらわれます。**江戸後期には、日本漢詩文は再び全盛期を迎えました。**日本各地に藩校が設立されて、士族中心ですが、漢文を読み書きする階層がぐっと幅を広げました。漢文の素養を広く日本人が身につけるのはこのときです。盛んに漢詩文が書かれました。

というわけで、選択肢④は「漢詩は日本人の創作活動の一つにはならなかった」、選択肢⑤は「日本人は江戸時代末期から漢詩を作るようになった」が誤り。『懐風藻』を知っていれば、一瞬で削れました。正解のもう一つは⑥。

さて、この時間はここまで。漢詩の問題はルールさえ知っていれば、あっさり解くことができる——納得していただけたでしょうか。がんばって覚えてくださいね！

10 時間目

最後の決戦「最終問題」

◎まずは最後の一文から

最終問題は、いろいろな問い方をしてきますが、ほとんどが**本文全体を読めているかどうかを試す問題**です。傍線部だけを見て解くような局地戦とは違うので、めんどうくさいです。しかも選択肢がそれぞれ三行くらいあります。というわけで、戦術。

◎さかのぼり読み

最後の一文からさかのぼる形で読みます。ここまで、本文を読み進めながら問題を解いてきたはずです。最終問題に入ったところで、**いったん最後の数行を本気読みします。**だいたい抑揚《よくよう》・累加《るいか》、反語・二重否定、対句が使われているので、きっちり処理します。そこから文脈を確認するために、数文さかのぼって読みます。

次の問いに答えよ。

制限時間 5分

嗟《あ》乎《あ》、禿(注1)翁ハ則チ誠ニ豪傑也。然ルニ徒《ただ》ダ知ルノミニシテ二豪傑之能ク為ルヲレ大、而不レ知ラ二聖(注2)賢之能ク不ルヲレ為ラレ大也。不レ観二之ヲ竜ニ一乎。及ブ二其ノ化スルニ一也、時ニ為リレ人ト焉、時ニ為リレ虫ト焉、時ニ飄《ただよ》ヒテハ(注4)為リレ葉ト焉、時ニ擲《なげう》タレテハ為《な》ルレ梭《ひ》ト(注3)焉。彼自《おのづか》ラ有ルニ下所二以ノ為リレ大ト為リレ小ト、為リレ巻《けん》為ルレ舒《じょ》者上、而人乃チ以テ二区(注5)区タル小大之形、瑣《さ》瑣《さ》タル巻舒之状ヲ一求ムレ之ヲ。是レ豈ニ知ラン二竜之為ルヲレ竜哉。禿翁惟《こ》レ其レ欲スレ為ラント二泉(注6)海之魚一。是ヲ以テ攖《ふ》レテレ禍《わざは》ヒニ而不レ寧《やす》カラ。使メバ二禿翁ヲシテ不シテレ為ラレ魚而為ラレ竜、世人安クンゾ得テ而禍ヒセンレ之ニ也哉。

（注）1 禿翁——明《みん》の思想家李贄《りし》の号。迫害を受けて獄死した。 2 聖賢——優れた徳をそなえた人物。

3　梭――機織りの道具。すばやく動く。
4　為レ巻為レ舒――「巻」はとぐろを巻いたさま。「舒」はとぐろをほどいて体をのばしたさま。
5　区区――小さくて取るに足りない。「瑣瑣」も同じ。　6　泉海之魚――巨大魚。雄大な存在の比喩。

問　筆者は禿翁をどのように論評しているか。その説明として最も適当なものを、次の①～⑤のうちから一つ選べ。　難易度★★★☆☆

① 禿翁は、雄大であることを好み、実際に雄大さを体現して生きたが、一定したあり方にとらわれない自在な境地を知ることはなかった。

② 禿翁は、一定したあり方にとらわれない自在な境地を目指したが、その境地に到達できず、ひたすらに雄大であるだけにとどまった。

③ 禿翁は、雄大であることを好んだが、雄大さを体現して生きることはできず、一定したあり方にとらわれない自在な境地を新たに模索した。

④ 禿翁は、一定したあり方にとらわれない自在な境地を目指し、雄大さだけをひたすらに追求するような生き方は眼中になかった。

⑤ 禿翁は、雄大であることを好むだけでなく、一定したあり方にとらわれない自在な生き方にもあこがれていたが、どちらの境地にも到達できなかった。

ミッション 31 解答 ⇒ 正解は 1

解説

まずは最後の一文から。最後の一文をしっかり解釈します。

最初の句形が「使AB」。通常この形は使役形ですが、「…しめば」「…しむれば」と訓読されている場合は仮定の句形です。読「AをしてBせしめば」＝訳「もしAがBならば」。

次が「**安**《いづ》**くんぞ**…之に禍ひせ**んや**」。文末が「んや」なら**反語**です。で、**反語を見つけたら否定文に言いかえよ。**「**安**得而禍之**也哉**」⬇「**不**得而禍之」。「不得而…」は可能の否定文で、読「得て…ず」＝訳「…できない」です。

訳すと、「もし禿翁が魚ではなく竜だったならば、これに禍いできなかっただろう」。「之に禍ひす」とは、注1の「迫害を受けて獄死した」を踏まえれば、「彼（禿翁）を迫害する」で、「禿翁が魚ではなく竜だったら誰も彼を迫害できなかっただろう」という意味です。

ここで「**魚**」「**竜**」って何？　という疑問がわきましたね。

さかのぼると、禿翁は「泉海の**魚**」になりたいと願った、だから禍に触れて（＝迫害を受けて）安寧ではなかった、とあります。「**魚**」が出てきました。「泉海の魚」とは、注6によると、「巨大魚。雄大な存在の比喩」です。

さらにさかのぼると、反語があります。「是れ**豈に**竜の竜たるを知ら**んや**」、否定文に言いかえて訳すと、「竜が竜であることは**わからない**」。「**竜**」が出てきました。

それでは、「竜」とは何か。ここでまたさらにさかのぼると、**対句**が出てきます。**対句を見つけて線を引き、並べて整理せよ。**

時為レ人焉 ⇔ **時為レ虫焉**

時飄為レ葉焉 ⇔ **時擲為レ梭焉**

為レ大為レ小（反対語）＝ **為レ巻為レ舒**（反対語）

「虫」は「人」の反対語で、ここでは「動物」のこと。「葉」はゆらゆら漂うもの、反対語の「梭」はすばやく動くもの。「大」「小」は説明不要。「巻」「舒」は、注にあるように、とぐろを巻いたり伸びたりすること。以上を踏まえて雑に訳すと、「竜は、時に人、時に虫、時に漂って葉、時に投げ打たれて梭と化す。竜には当然、大きくなったり小さくなったり、とぐろを巻いたり伸びたりするゆえんがあるが、人は瑣末な大小・巻舒の形によって竜とは何かを考えようとする。それでは竜が竜であることがわからないのだ」。

「**竜**」は変幻自在で、大きくもなれるし小さくもなれる、というあたりがわかれば、それで大丈夫。もう答えは出せますが、さらにさかのぼると、「**豪傑**」と「**聖賢**」の対比があります。「能く大たる」のが豪傑、「能く大たらざる」のが聖賢。「大」に着目すると、

豪傑＝魚　大になれる　⇕　**聖賢＝竜**　大にも小にもなれる

という対応を読み取れるでしょう。

禿翁は「**豪傑**」であり、雄大な「**泉海の魚**」になろうとするばかりだったが、彼が「**聖賢**」＝「**竜**」のように、大になったり小になったりと自在に変化できれば、迫害を受けることはなかっただろう——これがさかのぼって理解した本文の内容です。

さて、選択肢を見ると、繰り返しが多いと気づけるはずです。ここで**コピペ探し**。どうやら選択肢では「魚」を「雄大さを好む」云々、「竜」を「一定したあり方にとらわれない自在な境地」云々と表現しているようです。

禿翁は「泉海の魚」になろうとして「竜」になれなかった人物でした。正解は**ズバリ**禿翁が「**雄大さ**（**泉海の魚**）を好んで」「**雄大さ**（**泉海の魚**）を体現し」たが、「**一定したあり方にとらわれない自在な境地**（**竜**）を知ることはなかった」とある①。他の選択肢は、禿翁が「竜」の「自在な境地」を目指したり模索したりあこがれたりしたとある段階でアウトです。

次の問いに答えよ。

制限時間 5分

昔、漢ノ明(注1)徳馬后ニ無シレ子。顕(注2)宗取リ二他ノ人《じん》子ヲ一、命ジテ養ハシメテレ之ヲ曰ハク、「人子何ゾ必ズシモ親ラ生マン。但ダ恨ム二愛之不ルヲレ至ラ耳ト」。后遂ニ尽クシテレ心ヲ撫育シ、而シテ章帝モ亦タ恩(注3)性天至タリ。母子ノ慈孝、始終無シ二(注4)繊《せん》芥《かい》之間一。貍奴之事、適《たまたま》有リレ契《かなフ》焉。然《しかラバ》則チ世之為リテ二人親ト一与《と》レ子、而有ルハ二不慈不孝ノ者一、豈ニ独リ愧ヅルノミナランヤ二于古人ニ一。亦タ愧《はヅル》二此ノ異類ニ一已。

（程敏政《ていびんせい》『篁墩文集《こうとんぶんしゅう》』による）

（注）1　明徳馬后——後漢の第二代明帝（顕宗）の皇后。第三代章帝の養母。
2　顕宗取二他人子一、命養レ之——顕宗が他の妃《きさき》の子を引き取って、明徳馬后に養育を託したことをいう。
3　恩性天至——親に対する愛情が、自然にそなわっていること。
4　無二繊芥之間一——わずかな隔たりさえないこと。

問 この文章全体から読み取れる筆者の考えの説明として最も適当なものを、次の①～⑤のうちから一つ選べ。

難易度 ★★☆☆

① 猫の親子でも家族の危機を乗り越え、たくましく生きている。悲嘆のあまり人間本来の姿を見失った親子も、古人が言うように互いの愛情によって立ち直ると信じたいものだ。

② 血のつながらない猫同士でさえ実の親子ほどに強く結ばれることがある。人でありながら互いに愛情を抱きあえない親子がいることは、古人はおろか猫の例にも及ばないほど嘆かわしいものだ。

③ 子猫たちとの心あたたまる交流によっても、ついに老猫の悲しみは癒やされることはなかった。我が子を思う親の愛情は、古人が示したようにたとえようがないほど深いものだ。

④ 老猫は子猫たちを憐《あわ》れんで献身的に養育し、子猫たちも心から老猫になつく。その一方で、古人のように素直になれず、愛情がすれ違う昨今の親子を見ると、誠にいたたまれなくなるものだ。

⑤ もらわれてきた子猫でさえ老猫に対して孝心を抱く。これに反して、成長しても肉親の愛情に恩義を感じない子がいることは、古人に顔向けできないほど恥ずかしいものだ。

ヒント

センター漢文の過去問です。第一段落の一部を5時間目で扱いました。内容を簡単に紹介すると、子を失った猫にたまたまもらった子猫を与えたところ、本物の親子のようになったという内容でした。最後の二文を**本気読み**してください。

ミッション 32 解答 ⬇ 正解は 2

解説

最終問題を解くときは、最後の三行程度をよく見ます。

反語「豈に…のみなら**んや**」がありました。**反語を見つけたら否定文に言いかえよ。**「**豈**独愧于古人」⬇「**不独**愧于古人」と言い換えると、累加形が姿を表します。「**不独A亦B**」＝読「独りAのみならず亦《ま》たBも…」＝訳「AだけではなくBも…」です。

ラスト数行に累加・抑揚を見つけたら、本気で読め！

主語や目的語を明確にしつつ、句形・副詞・「ならでは語」の訳し方を踏まえてきっちり訳します。それが**本気読み**です。**特に、ラスト数行に累加・抑揚がある場合、それを解釈すれば、最終問題をズバリ法で解ける**ので、本腰を入れます。さて、句形を踏まえ、反語を処理して直訳すれば、「世の人の親と子となって、不慈《ふじ》・不孝の者がいるのは、ただ『古人』に対して愧《は》じるだけではない。この『異類』に対しても愧じるのだ」です。

本文をさかのぼって確かめれば、「異類」は「貍奴」＝「猫」だとわかります。では、累加形の「**古人だけではなく猫にも愧じる**」を念頭に選択肢を吟味《ぎんみ》。

①…古人が言うように互いの愛情によって立ち直ると信じたいものだ。
⬇「不慈・不孝の親子がいるが、古人だけではなく猫にも愧じる」から遠すぎる。

②…人でありながら互いに愛情を抱きあえない親子がいることは、古人はおろか猫の例にも及ばないほど嘆かわしいものだ。
⬇少し言いかえると「古人だけでなく猫にも及ばないほど嘆かわしい」。「古人だけでなく猫にも愧じる」の言いかえとして適当。**正解！**

③…我が子を思う親の愛情は……何にもたとえようがないほど深いものだ。
⬇「不慈・不孝の親子がいるが、古人だけではなく猫にも愧じる」から遠すぎる。

④…古人のように素直になれず、愛情がすれ違う昨今の親子を見ると…。
⬇「不慈・不孝の親子がいるが、古人だけではなく猫にも愧じる」から遠すぎる。

⑤…肉親の愛情に恩義を感じない子がいることは、古人に顔向けできないほど恥ずかしいものだ。
⬇近い。ただし「古人だけではなく猫にも…」の「猫にも」の部分がないので×。それに、子の不孝だけを取り上げて親の不慈を取り上げないのも×。

それでは、次も最終問題にチャレンジ。ラスボス狩りです。

ミッション 33

次の問いに答えよ。

制限時間 3分

難易度 ★★★☆☆

問 「墨池」の故事は、王羲之が後漢の書家張芝《ちょうし》について述べた次の**【資料】**にも見える。本文および**【資料】**の内容に合致しないものを、後の①～⑤のうちから一つ選べ。

【資料】

云《ハク》、「張芝臨《ミテ》レ池《ニ》学《ビ》レ書《ヲ》、池水尽《ク》黒《シ》。使《メバ》二人《ヲシテ》耽《ふけ》《ルコト》レ之《ニ》、若《クナラ》レ是《かクノ》、未《ダ》《ル》二必《ズシモ》後《レ》レ之《ニ》也《ト》。」

（『晋書《しんじょ》』「王羲之伝《おうぎしでん》」による）

① 王羲之は張芝を見習って池が墨で真っ黒になるまで稽古を重ねたが、張芝には到底肩を並べることができないと考えていた。

② 王盛は王羲之が張芝に匹敵するほど書に熱中したことを墨池の故事として学生に示し、修練の大切さを伝えようとした。

③ 曾鞏は王羲之には天成の才能があったのではなく、張芝のような並外れた練習によって後に書家として大成したと考えていた。

④ 王羲之は張芝が書を練習して池が墨で真っ黒になったのを知って、自分もそれ以上の修練をして張芝に追いつきたいと思った。

⑤ 王盛は張芝を目標として励んだ王羲之をたたえる六字を柱の間に掲げ、曾鞏にその由来を文章を書いてくれるよう依頼した。

ヒント

最終問題は、原則として本文全体を踏まえて解くもの。本文も載せずに、これを解け、とミッションを課しているので、みんなの正しい反応は「本文を寄越せ。話はそれからだ」です。それでも、ここでこのミッションを課した理由は、このように**設問で新たに漢文が出てくることもあるぞ**と知ってもらうためです。

漢文は最後に訪れます。残り時間とギリギリの戦いをしつつ、「よし。あと3分。残りは最終問題だけだ」と設問を見たら、いきなり新たな漢文登場。試験会場で思わず「ぎゃあ」と声をあげかねないです。しかも、この問題の漢文には送り仮名と返り点が付いていますが、送り仮名がないこともありました（たった一文でしたけど）。

ミッション33 解答 ⇒ 正解は 1

解説

問題を解く前に、設問を最後までざっと確認せよ。

共通テスト対策最後の鍵が「**時間配分**」です。

10分あれば満点を取れるのに、本番では時間配分に失敗して5分で解くハメになり、本番だけ20点台を取ってせっかくの得点源を台無しにした、という失敗談があとを絶ちません。漢文は最後に解きがちですし、残り時間ギリギリになりがちです。そのうえ、最終問題に新しく漢文が出てきたり長いばかりで内容のない会話文が出てきたりしたら、もう詰んでしまいます。最初に数十秒をロスしますが、**設問を最後までざっと確認しましょう**。それだけの価値がその数十秒にあります。

さて、問題を解きましょう。

どれだけ焦っていても、鍵は【**資料**】にあるので、こいつを**本気読み**します。

主語・目的語を絶えず補充せよ。

注・前書きを必ず見ること。設問に「前書き」的なことが書いてあるので、そちらを見ると、「王羲之が後漢の書家張芝について述べた」と書いてあります。「云はく」の主語は王羲之です。

句形は、まず読「AをしてBせしめば」＝訳「もしAがBならば」。「使AB」の形でも、「…しめば」「…しむれば」と訓読されている場合は仮定の句形になる――でしたね。次に「未必…」＝読「未だ必ずしも…ず」＝訳「必ずしも…わけではない」。

指示語「之」があるので、中身を考えておきます。ほか反語・二重否定や対句はなし。訳すと、「王羲之は『張芝は池に臨んで書を学び、池の水を真っ黒にした。人がそれほどまでにそれ（書の練習）に耽ったならば、必ずしもこれ（**張芝**）に後れを取るわけではない』と言った」です。「耽」は、熟語で言うと、耽溺の耽で、「熱中する」「度を越して楽しむ」という意味です。

本文がないので、選択肢を見てもちんぷんかんぷんですが、①「王羲之は張芝を見習って池が墨で真っ黒になるまで稽古を重ねたが、張芝には到底肩を並べることができないと考えていた」とあって、「必ずしも張芝に後れを取るわけではない」＝「張芝に肩を並べることができる」と合いません。正解は**ズバリ①**。**【資料】**さえ見れば答えが出る問題でした。

設問に新しく漢文が出てきたら、焦っていてもちゃんと読め、というわけです。

問　次に示すのは**【文章Ⅰ】**と**【文章Ⅱ】**を読んだ後に、教師と生徒が交わした会話の様子である。これを読んで、後の問いに答えよ。

教師　**【文章Ⅰ】**の安積艮斎「話聖東伝」は、森鷗外《もりおうがい》の作品『渋江《しぶえ》抽斎《ちゅうさい》』においても言及されています。渋江抽斎は、江戸末期の医者であり漢学者でもあった人物です。抽斎はもとは西洋に批判的だったのですが、「話聖東伝」を読んで考えを改め、西洋の言語を自分の子に学ばせるようにと遺言しました。鷗外によれば、「話聖東伝」の中でも抽斎がとりわけ気に入ったのは、次の**【資料】**の一節だったようです。

【資料】（送り仮名を省いた）

嗚呼、話《わ》聖《しん》東《とん》、雖レ生二於戎《じゅう》羯《けつ》一、其為レ人有二足レ多者一。

教師　「戎羯」は異民族という意味です。この【資料】で艮斎はどのようなことを言っていますか。

生徒　［ a ］。ワシントンに対する**【資料】**のような見方が、抽斎の考えを変えたのでしょう。

空欄［ a ］に入る発言として最も適当なものを、次の①～⑤のうちから一つ選べ。　難易度★★★☆☆

① 「異民族の出身であるけれども」とあるように、艮斎は西洋の人々に対する偏見から完全に脱却していたわけではないものの、ワシントンの人柄には称賛に値する点があると言っています

② 「異民族の生まれだと言うものもいるが」とあるように、艮斎はワシントンの出自をあげつらう人々を念頭に置いて、そのような人々よりもワシントンの方が立派な人物であると言っています

③ 「異民族に生まれていながらも」とあるように、艮斎はワシントンが西洋人であることを否定的に見る一方で、ワシントンの政策には肯定的に評価すべき面があると言っています

④ 「異民族の出自であることを問わずに」とあるように、艮斎は欧米と東アジアの人々を対等であると認識し、ワシントンの人生はあらゆる人々にとって学ぶべきものであると言っています

⑤ 「異民族の出身でなかったとしても」とあるように、艮斎は欧米と東アジアを区別しない観点に立ち、ワシントンの統治の方法にはどのような国でも賛同する人が多いであろうと言っています

解説

というわけで、まずは「本文を寄越せ。話はそれからだ」と呟いてください。

会話はあと五ターンほど続き、空欄は三つもあります。さきほどのミッションと同じで受験生を絶望のどん底に突き落とします。残り3分で最終問題に到達したら、この会話文の不意打ちで、しかも**教師**が長々と喋りはじめます。無視したくなりますよね。

会話文も課題文の一部であり設問文の一部だと心得よ。

しっかり読んでください。どれだけ不自然な会話でも、出題する側はおおマジメです。この問題で受験生が**会話の流れを的確に追えるかどうかを試している**のです。会話の流れを無視したら問題は解けません。

そもそも**読む必要があるかどうかは読んでみないとわかりません**。冒頭の**教師**の長広舌は、結果として読む必要はありませんでした。でも、読まなければ、その判断はできません。それに、読まずに解こうとして選択肢を選び切れなかったら、ヒントが欲しくなってどうせ読みますし、最初からちゃんと読んでしまったほうが効率いいです。

教師によれば、江戸時代の医師渋江抽斎は西洋に批判的でしたが、「話聖東伝」を読んで考えを改めました。**生徒**によれば、【資料】のような見方が抽斎の考えを変えたそうです。

では、**【資料】**を見ましょう。

句形は「**雖**─」＝読「─と雖《いへど》も」＝訳「─けれども」「─としても」。基本単語「為レ人」＝読「人と為《な》り」＝訳「人柄」「性格」もあります。「足多」を「多しとするに足る」と読むのは難しいですが、教師と生徒の会話から「話聖東《わしんとん》」を肯定的に評価しているのはまちがいありません。

訳すと、「ああ、ワシントンは異民族に生まれたけれども、その人柄は立派だ」あたりになります。まず前段の「雖生於戎羯」を踏まえ、②・④・⑤を消去。①「異民族の出身であるけれども」と③「異民族に生まれていながらも」は◎。次に「為人」を踏まえ、「ワシントンの人柄には称賛に値する点がある」とある①が正解。③は「ワシントンの政策には肯定的に評価すべき面がある」が「人と為り」の訳と合わないので消去。

以上、共通テストの最終問題では、新たに【資料】が出てきたり、教師と生徒の会話を読まされたり、複数の資料を比較させられたりします。でも、**本文全体を読めているかを試す点は同じ**。解き方はさほど変わりません。

10時間目のスゴ技!!

最後の一文からさかのぼれ

好きな子から「日曜日、ヒマ?」と聞かれたとします。デートの誘いだと思って、「うん、ヒマ」と思わず答えそうになります。でも待って。「じゃあ、バイト代わって」とか「練習試合の応援に参加して」とか面倒なことを押しつけられるかもしれません。

言葉の意味は、結末を知るまでわからないのです。だから、

最後の一文からさかのぼれ！

みんなは普通に読み進めながら、**傍線部に出合うたびに問題を解き**、最終問題とエンカウントしたところで、後退しながら**問題を解くポイントを拾っていく**わけです。最終問題でポイントになるのは、**①抑揚・累加**、**②反語・二重否定**、**③対句**です。**本文ラスト数行**にそれらを見つけたら、**本気読み**してください。それでは、最後のミッション。

ミッション 35 次の問いに答えよ。

制限時間 5分

蓋《シ》居《ル》二人《ノ》上《ニ》一者《は》甚《ダ》難《シ》。苟《クモ》不《シテ》三諳《あん》(注1)二知《ちせ》艱《かん》難《なん》《ヲ》一、遽《にはカニ》授《クルニ》以《テスレバ》レ権《ヲ》、妄《ニ》意《ニ》設施《シテ》、下有《リ》受《クル》二其《ノ》害《ヲ》一者上矣。此《レ》造物之所《ゆゑ》三以《んナリ》必《ズ》先《ニ》使《ムル》二困苦《セ》一。諳二知《シテ》艱難《ヲ》一、然《ル》後授《クルニ》レ之《ニ》以《テスレバ》レ権《ヲ》、則《チ》他日《ノ》設施、下将《ニ》レ有《ラント》下被《かうむル》二其《ノ》恵《ヲ》一者上矣。故《ニ》造(注2)物之先《ニ》困二苦《セシムルハ》其《ノ》人《ヲ》一、非《ズシテ》下独《リ》如《キノミニ》中孟(注3)子《ノ》増二益《スル》其《ノ》所《ヲ》レ不《ル》レ能《ハ》之説《ノ》上、凡《ソ》以《テ》為《ニスル》下他日在《ル》二其《ノ》人之下《ニ》一者之利《ノ》上也。

(倪《げい》思《し》『経鉏堂雑志《けいしょどうざつし》』による)

(注) 1 諳知――十分に知ること。

2 造物――造物者。万物を創造するもの。天地万物の支配者。

3 孟子増二益其所レ不レ能之説――造物者は、後に為政者となる人物に、まず労苦を与えてその能力を増進させ、大任に耐えうるようにするという孟子の説。

問　筆者の考え方を説明したものとして最も適当なものを、次の①～⑤のうちから一つ選べ。難易度★★★☆☆

① 孟子《もうし》は逆境というものが人間を大きく成長させる効果を持っていることを論じたが、そこで議論を終わらせずに、一人一人の逆境の克服が社会全体に大きな利益をもたらすということまで考えなければならない。

② 孟子のように個人の成長だけで逆境の効果を論ずるのではなく、ある人間が逆境を克服した成果をいかに社会に還元したかというところまで論じなければ、人間が逆境に置かれることの意味を理解することはできない。

③ 国家の大任に当たる人物には、世の様々な苦難を味わう期間があるが、そうした経験は国家の利益に対する造物者の配慮によって与えられたものであり、孟子がいう個人の人間的成長とは無縁なものである。

④ 孟子は人の上に立つ者個人の成長という観点から逆境の効果を論じているが、人の上に立つ者が逆境を味わうことの意味は、治められる民衆の利益、不利益という観点からも論じられなければならない。

⑤ 国家を正しく導きうる人物となるためには、松柏《しょうはく》が霜や雪の中で強固に育つように、若いときに苦労を自分から引き受け、孟子がいうような人間的成長を遂げて、人々の期待に応えるようにならなければならない。

解説

本文の前半は省略してあります。それでも、最後の一文から読んでいけば、十分に答えは出ます。

最後の一文には「**非**下**独** 如中孟子 増二益 其 所レ不レ能 之 説上、凡 以 為下他 日 在二其 人 之 下一者 之 利上也」とあって、**累加**「非独…」＝読「独り…のみにあらず」＝訳「…だけではない」が使われています。直訳は「できないことを増益するという孟子の説のようなものだけでなく、たいてい後日その人の下にある者の利益のためでもある」です。

よくわからないですね。

注をよく見てください。孟子の説とは、〈造物者が〉後の為政者に試練を与えて、大任に耐えられるようにその能力を増進させる、というものです。大学の講義に耐えられるように、神〈文部科学省〉がみんなに試練〈共通テスト〉を与えて、その能力を増進させるのと同じです。

しかし、造物者が後の為政者に試練を与える理由は孟子の説だけではないと筆者は主張します。その人〈＝為政者〉の下の民衆の利益のためでもあると言うのです。

1時間目 2時間目 3時間目 4時間目 5時間目 6時間目 7時間目 8時間目 9時間目 10時間目

なぜ、試練が民衆の利益になるのか。さかのぼって読み進めると、**対句**に出合います。

艱難（苦労）を知らずにいきなり権力を授与 ⬇ 下（人民）は害を受ける
艱難（苦労）を十分に知ってから権力を授与 ⬇ 下（人民）は恵をこうむる

苦労知らずの人間が人民の上に立てばろくなことが起きない、だから造物者は人民の利益のためにも為政者に苦労＝試練を与えるというわけです。これで準備完了。

選択肢チェック

②「孟子のように……論ずる**のではなく**」、③「孟子がいう……とは**無縁なもの**」は、累加を踏まえていないので不適。⑤は「苦労を**自分から引き受け**」で不適。苦労は「自分から引き受け」るのではなく造物者に与えられます。また累加も踏まえていません。

①は、累加を踏まえていますが、「一人一人の逆境の克服が**社会全体に大きな利益を**」で不適。「利益」とは為政者から民衆が受ける利益です。正解は④。「民衆の利益、不利益という観点からも…」とあり、**最後の一文の内容と一致します**。

最終問題は、**本文ラスト数行を本気読みすれば解けます**が、なかには「**文章の展開**」をたずねるものもあります。その場合、

本文全体を俯瞰《ふかん》せよ！

最終問題にたどりつくころには、みんなは一度本文全体に目を通しています。「文章の展開」をたずねられた場合は、**本文の文字面を眺めながら**、「最初に○○と言って、次に□□と言ってから、最後に△△って結論してたな」と軽く振り返ってください。そのあと、選択肢を見ます。

答えが見えてこない場合は「**コピペ探し**」（➡023ページ）です。

例えば、五択に見えても、①・③「李白《りはく》に加えて杜甫《とほ》も手本とすべきだという議論について」、②・⑤「唐の詩人のうちだれを手本とすべきかという議論について」、④「李白と杜甫とどちらを手本とすべきかという議論について」と実質三択になっていたりします。あとは「議論」に的を絞《しぼ》って本文を確認すれば、選択肢を一つか二つに絞れます。二つ残ったら、比較して答えを出します。

選択肢ばかり見るのではなく、本文を振り返ることが大事です。さあ、次でラスト！

実践演習

「共通テスト漢文」そして伝説へ

◎ようこそ模擬戦へ

最後は実践演習です。実際に戦場に出て戦ってもらいます。

演習だからといって、弱い練習相手を出すと思ったら大間違いです。**本番よりもむしろ強力な敵を用意しました。呂布《りょふ》**並みです。ここまでの時間で身につけた武器・戦術を駆使《くし》して立ち向かってください。

主武器《メインウェポン》（**句形**）と副武器《サブウェポン》（**副詞**・「**ならでは語**」）は装備できていますか？　不安なら、巻末資料をもう一度確認してください。**熟語**で考えること、**主語**・**目的語**を補うこと、**反語**・**二重否定**を処理すること、**対句**を整理することを忘れないで。説明問題では**傍線部の前後**を見て、最終問題では**ラスト数行**を見て、ポイントを探してください。

制限時間は10分……と言いたいですが、15分で。さあ、鉛筆を握って。度胸のない人は心臓をたたいとけ。それでは、はじめ！

ミッション 36 次の問いに答えよ。

制限時間 15分

【文章Ⅰ】は「千日酒」の故事、【文章Ⅱ】は菅原道真の詩である。【文章Ⅰ】【文章Ⅱ】を読んで後の問い（問1〜7）に答えよ。なお設問の都合で返り点・送り仮名を省いたところがある。

【文章Ⅰ】

昔劉玄石於《イテ》二中（注1）山《ノ》酒家《ニ》一酤《かフ》レ酒《ヲ》。酒家与《フルニ》二千日酒《ヲ》一、忘《ル》レ言《フヲ》二其《ノ》節（注2）度《ヲ》一。帰《リテ》至《リ》レ家《ニ》大《イニ》酔《フ》。而《レドモ》家人不レ知《ラ》、A以為死也、権葬之。酒家計《リ》二千日《ノ》満《ツルヲ》一、（ア）乃憶《フニ》玄石前《ニ》来《リテ》酤《ヒ》レ酒《ヲ》、酔《ヒ》向《いま》醒《ムル》（イ）耳。往《キテ》視《ルニ》レ之《ヲ》、云《フ》二玄石亡《クナリテヨリ》来《このかた》三年、（1）已葬《レリト》一。（2）於レ是開《ケバ》レ棺《ヲ》、酔《ヒ》始《メテ》醒《ム》。俗《ニ》云《フ》、「玄石飲《ミ》レ酒《ヲ》、一酔千日《ト》。」

（張華《ちょうか》『博物志』による）

（注）1 中山——地名。 2 節度——ほどよさ。飲み過ぎないようにという忠告。

【文章Ⅱ】

千悶消亡《ス》千日《ノ》酔《ヒ》　百愁安慰《ス》[B]花《ノ》春

一生不《ンバ》レ見二三（注3）秋《ノ》月《ヲ》一　C天下応無（注4）腸断人

（菅原道真『菅家文草』による）

（注）3　三秋——秋の三ヶ月。　4　腸断——ひどく悲しむこと。

問1　傍線部(1)「已」、(2)「於是」のここでの読みとして最も適当なものを、次の各群の①～⑤のうちから、それぞれ一つずつ選べ。

(1)　①　わづかに　②　すでに　③　はたして　④　ただ　⑤　まさに

(2)　①　ここにおいて　②　これにおいて　③　これより　④　ここに　⑤　これに

問2 傍線部A「以為死也、権葬之」の書き下し文として最も適当なものを、次の①～⑤のうちから一つ選べ。

① 以て死を為し、之を葬らんことを権《はか》る
② 以て死を為《をさ》むるや、権《かり》に之を葬る
③ 以て死の為《ため》なり、之を葬らんことを権る
④ 以て死と為るや、権《けん》之を葬る
⑤ 以て死せりと為すや、権に之を葬る

問3 空欄[B]に入る文字として最も適当なものを、次の①～⑤のうちから一つ選べ。

① 桃　② 落　③ 月　④ 百　⑤ 麗

問4　傍線部C「天下応無腸断人」の解釈として最も適当なものを、次の①～⑤のうちから一つ選べ。

① 天下から腸断の思いをする人をなくさなければならない。
② 天下には腸断の思いをする人はきっといないだろう。
③ 天下から腸断の思いをする人をなくす必要がある。
④ 天下に腸断の思いをする人がいてはならない。
⑤ 天下に腸断の思いをする人がいないはずがあろうか。

問5　【文章Ⅱ】の漢詩に関連した説明として最も適当なものを、次の①～⑥のうちから二つ選べ。

① この詩は七言律詩の形式であり、「春」「人」が韻を踏んでいる。
② この詩は七言絶句の形式であり、対句表現が印象的に使われている。
③ この詩は古体詩の七言詩であり、「酔」「春」「人」が韻を踏んでいる。
④ 日本人は古くから漢詩文に親しんでおり、『万葉集』と同じ時期に漢詩集も成立している。
⑤ 平安時代に漢詩文は盛んになり、鎌倉・室町時代には京都五山を中心に全盛期を迎えた。
⑥ 江戸時代に漢詩文は再び盛んになったが、明治時代に入ると、西洋化の影響で急速に廃れた。

問6　次に掲げるのは、授業の中で【文章Ⅰ】と【文章Ⅱ】について話し合った生徒の会話である。これを読んで、［X］に入る最も適当なものを、後の①～⑤のうちから一つ選べ。

生徒A　【文章Ⅱ】の「千日酔」は、【文章Ⅰ】の故事を踏まえたものらしいよ。

生徒B　【文章Ⅰ】はただの不思議な話なのに、【文章Ⅱ】では［X］と詠んでいるね。

生徒C　「千日酔」を調べると、初唐の詩人王績《おうせき》が「但だ千日酔《よ》はしめば／何ぞ両三春を惜《をし》まん」（「嘗春酒」）、同じ初唐の詩人劉希夷《りゅうきい》も「願はくは逢はん千日の酔ひ／緩《ゆる》むるを得ん百年の憂ひ」（「故園置酒」）と詠んでいたよ。【文章Ⅱ】の作者菅原道真は【文章Ⅰ】ではなく、これらの唐詩の句を踏まえたんだと思う。

① 千日酒が人の憂さを晴らして救いをもたらしてくれる

② 千日酒の酔いも、ひどい苦しみの前では消えるだけだ

③ 千日酒によって、腸断の悲しみから人々を救うべきだ

④ 千日酒は、春の花や秋の月を愛でるために必須の品だ

⑤ 千日酒さえあれば、秋月を見て悲しむこともないのに

ミッション36 問1 解答 ⇒ 正解は (1) 2 (2) 1

解説

(1)「已」の読みは「すでに」です。正解は②。

(2)「於是」の読みは「ここにおいて」です。正解は①。

10分で満点をとるには、こうした序盤の問題を秒でこなして時間を稼ぎます。

ミッション36 問2 解答 ⇒ 正解は 5

ポイントチェック

「以為」＝読「以て…と為す」「以為《おも》へらく」＝訳「…と思う」を思い出します。

解説

驚くことに、選択肢の中で「以て…と為す」と読んでいるのは、⑤のみです。訳すと、「(家人は)死んだと思ったので、彼(劉玄石)を仮に埋葬した」となって、文脈にも合います。正解は⑤。この手の問題も知識で瞬殺しましょう。

ミッション36 問3 解答 ↓↓↓↓↓↓↓↓↓↓↓ 正解は 4

ポイントチェック

詩の空欄補充問題です。通常は偶数句末に空欄があって押韻《おういん》で解くところですが、ここでは句の途中に空欄があります。ここで「**詩の問題はルールで解く　ルールで絞《しぼ》る**」を思い出しましょう。注意して見れば、第一句と第二句が対句だと気づけます。

千悶［消亡］千日酔

｜　＝　⇔　｜

百愁［安慰］［B］花春

解説

対句の整理さえ終われば、あとは一目瞭然。「千悶－百愁」というヨコの対応と、「千悶－千日」というタテの対応を踏まえれば、第二句は「百愁－百花」という対応になると気づけます。正解は④「百」。

ポイントチェック

解釈問題です。傍線部を見つめてポイントを探します。

ココ **天 下 応 無 腸 断 人**

ありました。再読文字「応」です。読「応《まさ》に…すべし」＝訳「きっと…だろう」「…しなければならない」でしたね。

解説

「応」の訳を踏まえて傍線部を直訳します。このとき、意訳しないのがコツです。

読みは「天下応に腸断の人無かるべし」で、直訳は「天下に腸断の人はきっといないだろう」「天下に腸断の人がいないようにしなければならない」です。

この直訳を念頭に選択肢を吟味します。傍線部全体をうまく直訳できなくとも、「応」の訳「きっと…だろう」「…しなければならない」は念頭に置きましょう。

①　天下から腸断の思いをする人をなくさ**なければならない**。　どんぴしゃ○
②　天下には腸断の思いをする人は**きっと**いないだ**ろう**。　どんぴしゃ○
③△　天下から腸断の思いをする人をなくす**必要がある**。　ビミョー△
④×　天下に腸断の思いをする人が**いてはならない**。
⑤×　天下に腸断の思いをする人が**いないはずがあろうか**。

④・⑤は論外です。④は「有るべからず」の訳、⑤は「豈《あ》に無からんや」の訳です。③「なくす必要がある」は、①「なくさなければならない」と同じ意味ですが、「必要がある」は再読文字「須」＝読「須《すべか》らく…べし」の訳なので、**ビミョー△**に分類しています。本命は「応」の訳を踏まえた①・②、大穴が③です。

ここで文脈の出番。直前の第三句を直訳すれば、「一生、秋の月を見なければ」です。続くのは「腸断の思いをする人をなくさなければならない」と「腸断の思いをする人はきっといないだろう」、どちらが自然？　そう。正解は②。

解説

【文章Ⅱ】の漢詩は、一句七字かつ四句なので、詩形は**七言絶句**です。「四句＝絶句、八句＝律詩、それ以外＝古詩（古体詩）」のルールを思い出しましょう。

というわけで、「七言律詩」とある選択肢①を消去。「古体詩」とある選択肢③も消去できます。仮に四句の古体詩（ないわけではない）だったとしても、青春《せいしゅん》の「春《しゅん》」、人間《じんかん》の「人《じん》」と、酔狂《すいきょう》の「酔《すい》」とでは、どう見ても韻を踏んでいないので、自信をもって消せます。七言詩は、偶数句末に加えて第一句の末字も韻を踏むのが原則ですが、あくまで原則です。偶数句と第一句の末字を音読みして、どうも母音が似ていないなと感じたら、原則にこだわらず、この七言詩は第一句末で韻を踏んでいないと判断しましょう。

したがって正解の一つは②。絶句で、かつ対句が使われています。

選択肢の後半は日本の漢文受容史の確認問題になっています。みなさんは9時間目に学んだ内容を覚えていましたか。

日本人が**最古の漢詩集『懐風藻《かいふうそう》』**を編纂《へんさん》したのが**奈良時代**。『万葉集』と同じころ。続く**平安時代に全盛期を迎える**ものの、鎌倉時代以降は京都五山の禅僧がわずかに漢詩文を作る程度になる。そして**江戸時代に再び全盛期**を迎え、江戸後期には漢文が素養として広く日本人に定着した——でしたね。以上を踏まえて選択肢を吟味します。

まず「日本人は古くから漢詩文に親しんでおり、『万葉集』と同じ時期に漢詩集も成立している」とある④は正しい。奈良・平安といえば、かな文学のイメージが強いですが、天皇・貴族・文人らによって盛んに漢詩文が作られていました。

次に「平安時代に漢詩文は盛んになり、鎌倉・室町時代には京都五山を中心に全盛期を迎えた」とある⑤は誤り。前半は正しいですが、鎌倉・室町に全盛期を迎えたとある点が正しくないです。

最後に「江戸時代に漢詩文は再び盛んになったが、明治時代に入ると、西洋化の影響で急速に廃れた」とある⑥は誤り。**明治に入っても漢文は日本人の間に生き続け**、**夏目漱《なつめそう》石《せき》**・**森鷗外《もりおうがい》ら文豪は見事な漢詩を作りました**。また法律など公式の文章は漢文訓読体で書かれ、民法が口語体になったのは二〇〇五年のこと。それまでは「権利ノ行使及ヒ義務ノ履行ハ信義ニ従ヒ誠実ニ之ヲ為スコトヲ要ス」などと書かれていました。

正解は②・④。明治時代は不意打ちでしたが、ズバリ法で④を選べたでしょう。

ポイントチェック

さあ、最終問題《ラスボス》は会話形式問題です。

センター漢文では、ラスト数行を**本気読み**して、①**累加・抑揚**、②**反語・二重否定**、③**対句**に着目すれば、スムーズに解けました。

共通テストで増える会話形式問題では、それらに加えて**会話の流れ**にも着目します。

突然出てくる生徒の不自然なやり取りなんてマジメに読む気になれず、つい飛ばしたくなりますが、**生徒の会話も課題文であり設問文**。みなさんの議論する力を共通テストは試そうとしているのです。しっかり読みましょう。

生徒Aは**【文章Ⅱ】**の「千日酔」が**【文章Ⅰ】**の「千日酒」を踏まえたものだと指摘します。なんで生徒がそんなことを知っているのか、それは本当か、まさかウィキペディア情報じゃないだろうなとつっこみたくなりますが、あくまで設問文なので、つっこみ不要です。素直に受け入れます。

それに対して生徒Bは、「**【文章Ⅰ】**はただの不思議な話なのに、**【文章Ⅱ】**では……」と言い出します。**【文章Ⅱ】**の「千日酔」は**【文章Ⅰ】**の「千日酒」とは異なる意味・文脈で使われているという指摘です。

このあと、生徒Cも情報を補足してくれるので、しっかり目を通しておきます。

▼解説

【文章Ⅱ】は「千悶消亡す千日の酔ひ／百愁安慰す百花の春（千の煩悶も千日酒があれば消え／百の憂愁も百花繚乱の春になれば慰められる）」と詠みます。生徒Cが調べてきた詩にも「千日酒に酔いさえすれば、春を惜しむこともないだろうに」（王績）、「千日酒に逢いたいものだ／百年の憂愁を緩めることができるだろうに」（劉希夷）とあって、いずれも憂愁を慰めてくれるものとして千日酒を取り上げています。

【文章Ⅰ】では、酒好きの劉玄石を三年間死んだように酔わせただけの「千日酒」が、漢詩では**ひどい憂いを晴らす切り札**として取り上げられているわけです。

あとは、この特徴を念頭に**ズバリ法**で解きます。正解は①「千日酒が人の憂さを晴らして救いをもたらしてくれる」。

生徒の会話も課題文であり設問文。おろそかにせず、しっかり読みましょう。

読み方

【文章Ⅰ】

昔《むかし》劉玄石《りうげんせき》中山《ちゆうざん》の酒家《しゆか》に於《お》いて酒《さけ》を酤《か》ふ。酒家千《しゆかせん》日酒《にちしゆ》を与《あた》ふるに、其《そ》の節度《せつど》を言《い》ふを忘《わす》る。帰《かへ》りて家《いへ》に至《いた》り大《おほ》いに酔《ゑ》ふ。而《しか》れども家人《かじん》知《し》らず、以《もつ》て死《し》せりと為《な》すや、権《かり》に之《これ》を葬《はうむ》る。酒家千日《しゆかせんにち》の満《み》つるを計《はか》り、乃《すなは》ち憶《おも》ふに玄石前《げんせきさき》に来《きた》りて酒《さけ》を酤《か》ひ、酔《ゑ》ひ向《いま》醒《さ》むるのみと。往《ゆ》きて之《これ》を視《み》るに、玄石亡《げんせきな》くなりてより来三年《このかたさんねん》、已《すで》に葬《はうむ》れりと云《い》ふ。是《ここ》に於《お》いて棺《かん》を開《ひら》けば、酔《ゑ》ひ始《はじ》めて醒《さ》む。俗《ぞく》に云《い》ふ、「玄石酒《げんせきさけ》を飲《の》み、一酔千日《いつすいせんにち》」と。

【文章Ⅱ】

千悶消亡《せんもんせうばう》す千日《せんにち》の酔《ゑ》ひ　百愁安慰《ひやくしうあんゐ》す百花《ひやくくわ》の春《はる》
一生《いつしやう》に三秋《さんじう》の月《つき》を見《み》ずんば　天下《てんか》応《まさ》に腸断《ちやうだん》の人《ひと》無《な》かるべし

通釈

【文章Ⅰ】

昔むかし、劉玄石は中山の酒屋で酒を買った。酒屋は千日酒（一たび飲めば、千日＝およそ三年は醒めないという強い酒）を与えたけれど、飲み過ぎないよう忠告するのを忘れてしまった。（玄石は）帰宅して大いに酔った。ところが、家人はそうとは知らず、死んだと思い、仮埋葬した。酒屋は千日経ったころ、ふと玄石が前に酒を買い、その酔いもいま醒めただろうと思い出した。出かけて確認すると、玄石が死んでから三年経っており、とうに埋葬したという。そこで棺を開いたところ、酔いがちょうど醒めたところだった。これぞ俗に言う「玄石酒を飲む、一たび酔えば千日醒めず」である。

【文章Ⅱ】

千の煩悶も千日酒があれば消え、百の憂愁も百花繚乱の春になれば慰められるものだ。(人が)一生のうちに秋の月さえ見なければ、天下に腸断の思いをする人はきっといないだろう(それほどに秋の月は人を悲しませるのだ)。

ミッション 37 次の問いに答えよ。

制限時間 15分

次の文章を読んで、問1～6に答えなさい（設問の都合で返り点・送り仮名を省いたところがある）。

真勇ノ者ハ不レ恃《たの》マ二其ノ勇ヲ一、真知ノ者ハ不レ恃マ二其ノ知ヲ一。A恃其（注1）勇而与人争、不敗死者寡矣。恃ンデ二其ノ知ヲ一而不レバ取ラ二于人ニ一、不ル二壅《よう》（注2）蔽《へい》セ一者ハ寡ナシ矣。夫レ一己之聡明ハ、誠ニB［X］以窮万物之理、一人之才能ハ、誠ニ不レ能ハ三以テ通ズルコト二万事之変ニ一。故ニ知者ハ其ノ心常ニ欲《かん》（注3）然《ぜん》トシテ、而夸《こ》（注4）言《げん》不レ出デ二於口ヨリ一、（ア）矜《きょう》色不レ形二於面一、博ク求ム二於一（注5）時之人ニ一。書ニ曰ハク、「自ラ（注6）用フレバ則チ小ナリト。」蓋《けだ》シ自ラ用フレバ則チ為シ二自ラ盈《み》ツト一、自ラ盈ツレバ則チ人不二告レグルニ之ニ一以テセレ善ヲ、且ツ自ラ恥ヅレバレ聞クヲレ過チヲ、見聞日ニ狭クシテ而讒《ざん》（注7）佞《ねい》日ニ進ム矣。

雖モレ欲スト二修メレ己ヲ治メントレ人ヲ可得乎。是レ乃チ恃ム二其ノ知ヲ一之蔽也。

子路ハ(注8)喜ビレ聞クヲレ過チヲ、禹《う》ハ拝シ二昌言ヲ一、舜《しゅん》ハ舎《す》テテレ己ヲ従ヒレ人ニ、楽シムレ取ルヲ二人之善ヲ一。聖賢之所為常如此。是レ皆所三以可キレ為ル二百世之師一也。

（貝原益軒『自娯集』による）

（注）1　取――人から学びとること。

2　壅蔽――人の善言を聞き入れることができなくなること。「壅」はふさぐ、「蔽」はおおう。

3　欲然――あきたりないさま。

4　夸言――「誇言」に同じ。自慢話。

5　一時之人――当時の人々。

6　自用――自分の能力をたのんで何事も一人でやること。

7　讒佞――「讒」はそしる、「佞」はおもねる・へつらう。

8　子路…之善――子路は孔子の高弟、禹・舜は古代中国の聖王。「昌言」は「善言」に同じ。

問1 波線部(ア)「矜色不形於面」・(イ)「可得乎」のここでの意味として最も適当なものを、次の各群の①〜⑤のうちから、それぞれ一つ選べ。

(ア) 「矜色不形於面」

① 不安の色が顔に現れたりはしない
② 不機嫌な表情を浮かべたりしない
③ 美女にうつつを抜かしたりしない
④ 派手な色の服装を着たりはしない
⑤ 驕った様子が顔に出たりはしない

(イ) 「可得乎」

① 望むものを手に入れられるのだろうか
② その思いをかなえることなどできない
③ その目的を達成してもよいのだろうか
④ そのことをできないわけがないだろう
⑤ その願いを成就しなければならない

問2　傍線部A「恃其勇而与人争、不敗死者寡矣」の解釈として最も適当なものを、次の①～⑤のうちから一つ選べ。

① 武勇に優れているので、人と争ったとしても、ほとんどの場合、敗れて死ぬことはない。
② 武勇をふるって人の争いに関わるものの、不敗を誇り、死んでしまうことはまれである。
③ 武勇に自信があるからと人と戦ってばかりいれば、だいたい敗れて死んでしまうものだ。
④ 自分の武勇を頼りに人の争いに関わるので、敗れて死んでしまわないことなどないのだ。
⑤ 武勇を誇り人の争いに積極的に関わるが、敗れさえしなければ、死ぬことはまれである。

問3　傍線部B「X以窮万物之理」について、空欄Xに入る語と書き下し文との組合せとして最も適当なものを、次の①～⑤のうちから一つ選べ。

① 不如　　以て万物の理を窮《きは》むるに如かず
② 何不　　何ぞ以て万物の理を窮めざる
③ 奈何　　奈何《いかん》ぞ以て万物の理を窮めんや
④ 不足　　以て万物の理を窮むるに足らず
⑤ 而況　　而るを況や以て万物の理を窮むるをや

問4　傍線部C「是乃恃其知之蔽也」とあるが、具体的にどのようなものか、その説明として最も適当なものを、次の①～⑤のうちから一つ選べ。

① 知者は自分の知恵をあてにして、一人で十分だと思うから人は彼に善言を与えなくなり、人からの批判に耳を傾けないから見識は狭くなって中傷やへつらいばかりが集まるということ。

② 知者は知恵があるからこそ、心はいつも飽き足らず、自分に自信がないから自慢話もできず、不安の色を顔に浮かべることもできず、常に気丈にふるまわなければならないということ。

③ 知者は自分の知恵をあてにするから、自分よりも知性の劣る人間の言葉には耳を傾けることができず、自分ひとりで万物の道理や万事の変化を考究する孤高の存在になるということ。

④ 知者は知恵があるからこそ、聖人・賢人と同じく、自分に対する批判を喜んで聞き、善言に耳を傾け、自分を捨てて人の言葉に従って他人から善を学ぶことをよしとするということ。

⑤ 知者は自分の知恵をあてにして、人の過ちを許せずに無用な争いを繰り返し、せっかく善言を口にしているというのに、すっかり人から聞き入れてもらえなくなっているということ。

問5　傍線部D「聖賢之所為常如此」の返り点の付け方と書き下し文との組合せとして最も適当なものを、次の①～⑤のうちから一つ選べ。

① 聖賢之所㆑為常如㆑此　聖賢の為す所常に此《か》くのごとし

② 聖賢之所㆑為㆑常如㆑此　聖賢之れ常と為す所は此くのごとくす

③ 聖賢之所㆑為常如㆑此　聖賢の為《ため》にする所は常に此《これ》に如《し》く

④ 聖賢之㆑所為㆑常如㆑此　聖賢の所に之《ゆ》きて常と為すは此くのごとし

⑤ 聖賢之所為常如㆑此　聖賢の所　為《ため》に常に此《これ》に如《し》く

問6　次の【資料】は、『論語』が「勇者」と「知者」について述べた文である。本文および【資料】の内容に合致するものを、次の①〜⑤のうちから一つ選べ。

【資料】

子曰、「知者不レ惑、仁者不レ憂、勇者不レ懼。」

（『論語』による）

① 『論語』に「知者は惑わない」とあるように、知者は道理に明らかで過ちを犯したりはしないので、人から学ぶ必要はない。

② 『論語』に「仁者は憂えない」とあるように、仁者は万物の道理に通じ、万事の変化に応ずるから、何も心配する事はない。

③ 『論語』に「勇者はおびえない」とあるように、勇者は武勇に優れているからこそ負け知らずであり、人と争いがちである。

④ 『論語』に「知者は惑わない」とあるが、真の知者は常に人から善を学ぼうとし、自分に対する批判を喜んで聞くものだ。

⑤ 『論語』に「勇者はおびえない」とあるが、真の勇者は決して人とは争おうとはしない点で、おびえているように見える。

ミッション37 問1 解答 → 正解は（ア）5 （イ）2

解説

語彙《ごい》問題では、知識がモノを言います。

(ア)の「矜色」の「色」は、**ならでは語**の一つで、意味は「様子・表情・顔色」。①「不安の色」、②「不機嫌な表情」、⑤「驕った様子」は可。「矜」は、**熟語にすると**、「矜持」「矜恃」の矜で、「ほこる」「おごりたかぶる」など。したがって「矜色」は「誇った顔」「驕った様子」で、つまりはドヤ顔。正解は⑤。

(イ)「可得乎」のポイントは、句形「可…乎」で、読「…べけんや」＝訳「…できようか」。**反語は必ず否定文に言いかえて**、いったん「…できない」としておきます。この段階で、~~①~~「…られるのだろうか」は疑問、~~③~~「…よいのだろうか」も疑問で不適。~~④~~「…できないわけがないだろう」は二重否定、~~⑤~~「…しなければならない」も二重否定で不適。正解は②「…できない」。

傍線部中の「得」は、可能の「得」。しばしば「可」とともに「不可得（得べからず）」といった形で使います。訳は「できない」。傍線部はこれを反語で強調した形で、文全体を訳すと、「己を修め人を治めたいと思ってもできない」になります。

ミッション 37 問2 解答 → 正解は 3

ポイントチェック

解釈問題です。傍線部は、実は対句になっています。並べると、こんな感じ。

恃其勇而与人争、不敗死者寡矣

恃《ミテ》二其《ノ》知《ヲ》一而不《レバ》レ取《ラ》レ人《ニ》、不《ル》二壅《よう》蔽《へいセ》一者《ハ》寡《ナシ》矣

左の句を参照しながら、右の句を読みます。読んだ結果は左を見てください。
次に傍線部を見つめてポイントを探します。

恃《ミテ》二其《ノ》勇《ヲ》一而与《と》レ人争《へバ》、不《ル》二敗死《セ》一者《ハ》寡《すくナシ》矣

ありましたね。前置詞「与」は、形「与レ…V」＝読「…とVす」「…と与《とも》にVす」＝訳「…とVする」。また「不二……一者寡」は、二重否定の仲間で、読「……ざる者（は）寡《すく》なし」＝訳「……しない者（こと）は少ない」「……しない者（こと）はまれだ」。**二重否定は必ず肯定文に言いかえます**。すると、「……する者（こと）が多い」「……する者（こと）がほとんどだ」となります。

解説

句形を踏まえて傍線部を直訳すると、「その勇をたのんで人と争えば、敗死しないことはまれだ」。言いかえは「……敗死することが多い」「……敗死することがほとんどだ」。まずはこの言いかえを念頭に選択肢を吟味します。

① ……ほとんどの場合、敗れて死ぬことはない。 ⬆二重否定と合わない×

② ……不敗を誇り、死んでしまうことはまれである。 ⬆二重否定と合わない×

③ ……だいたい敗れて死んでしまうものだ。 ⬆**どんのどんぴしゃ**

④ ……死んでしまわないことなどないのだ。 ⬆二重否定だけど、「寡」と合わない×

⑤ ……敗れさえしなければ、死ぬことはまれである。 ⬆二重否定と合わない×

こんな解き方もできます。

接続に注目してみましょう。例えば、僕たちは、対句を踏まえた結果、「与レ人争」の読みが「人と争へば」だとわかりました。直訳は「人と争ったならば」「人と争うので」で、とりあえず**順接なのはまちがいない**です。

①…人と争ったとしても、⬆逆接でアウト×
②…人の争いに関わるものの、⬆逆接でアウト×
③…人と戦ってばかりいれば、⬆順接◎
④…人の争いに関わるので、⬆順接◎
⑤…人の争いに積極的に関わるが、⬆逆接でアウト×

というわけで、「争えば」を、逆接で解釈している①・②・⑤を消去できます。たった これだけで三つも消せたら十分ですね。

なお「人の争いに関わる」の②・④・⑤は、「与レ人争（人と争う）」を「人の争いに与《あづか》る」と読んだときの解釈です。そう読めなくもないですが、対句とも合わず、単に「人と争う」のほうが自然なので、これを理由に①・③に絞れます。

ミッション 37 問3 解答 → 正解は **4**

解説

空欄補充問題です。こちらも、傍線部が対句になっています。

一己之聡明、誠 [X] 以窮万物之理

一人之才能《ハ》、誠《ニ》不レ能《ハ》三以《テ》通《ズルコト》二万事之変《ニ》一

左の句を参考に、右の句を「一己の聡明は、誠に以て万事の理を窮……[X]」と読みます。この[X]に入るのは、「不能」と対応します。「不能…」は、読「…能はず」＝訳「…できない」という**不可能表現**なので、同じ不可能表現の「不足…」＝読「…に足らず」＝訳「…できない」が本命です。選択肢を訳すと、①「極めたほうがよい」、②「なぜ…極めないのか」「極めればよいのに」、③「どうして…極めたりしようか」「極めたりしない」、④「極めることができない」、⑤「まして…極めるならなおさらだ」で、「一人の聡明では……できない」の④が対句とぴったり合って正解だとわかります。

▼**解説**

内容説明問題です。**答えは傍線部の前後にある**ので、**本気読み**します。

傍線部を訳すと、「**是れ**乃ち其の知を恃むの蔽なり（**これ**こそその知をたのむことの弊害である）」とあって、傍線部の前に答えが書いてあるとわかります。**ここからさかのぼって、どのあたりから「弊害」の説明が始まるかを探ります**。

自ら用いれば、自ら盈《み》ち、自ら盈ちれば、人はその人に善を告げなくなり、かつ自分で自分の過ちを聞くことを恥じていたら、見聞は日々狭くなり、讒言《ざんげん》（中傷）や佞言《ねいげん》（へつらい）が日々集まるようになる――と本文にありました。

「自ら用いる」とは、注によると、「自分の能力をたのんで何事も一人でやる」。**注は必ず確認します**。露骨に解答のヒントになっていたりします。「盈つ」は「盈《み》ちる」。「盈ちる」は「満《み》ちる」「充《み》ちる」。**同じ訓読みを持つ別の字に変換します**。「自ら盈ちると為す」とは、「自分は満ちている」、つまり「**自分一人で十分だと思う**」という意味です。「過ち」は「過《あやま》ち」。**熟語にする**と、「過失」。「過ちを聞くを恥づ」とは、「自分の過失を聞くのを恥じる」、つまり「**人からの批判を聞こうとしない**」という意味です。

ほか「人不㆓告㆑之以㆒㆑善」には、句形「V以㆑…」＝読「Vするに…を以てす」＝訳「…をVする」「…によってVする」が使われています。直訳は「人はこれに善を告げない」。「之」という**代名詞の正体を暴いてから解釈する**と、「自分一人で十分だと思っている人間には、人は善言を与えたりしない」となります。

これらを踏まえて選択肢を吟味すると、正解は**ズバリ①**。

②は「自分に自信がないから自慢話もできず」が不適。自慢話をしないのは、自分の知恵をたのんでいないから。自分は知恵者だという自負があると、人は自慢話をしがちだけど、真の知恵者はそんなことはしないという文脈。また「不安の色」は「矜色（驕った様子）」の誤訳。③は「自分よりも知性の劣る人間の言葉には…」「…孤高の存在になる」が不適。本文にそんなことは書いてありません。④は内容がポジティブで、「弊害」の説明になっていません。⑤は「無用な争いを繰り返し」が不適。「争う」云々は「勇者」の話です。

また「せっかく善言を口にしているというのに、すっかり人から聞き入れてもらえなくなっている」も不適。知恵をたのむ人間には人が善言を与えなくなる、です。

ミッション 37 問5 解答 ⇩ 正解は 1

ポイントチェック

返り点と書き下しの問題です。傍線部を見つめてポイントを探します。

聖賢（ココ）之（ココ）所為常（ココ）如此

ありました。「之」は、「体言之…」の場合、「体言の…」と読みます。また「所」は、形「体言（之）所レV」で、読「体言のVする所」＝訳「体言のVすること（もの）」。「…如此」は、読「…此《か》くのごとし」＝訳「このように…」「…はこのようだ」。

解説

返り点がつくかつかないかに注目すると、スピーディに問題を解けます。

傍線部の「之」は「の」と読み、返り点はつきません。「之レ」「之ニ」とあれば、「の」以外の読み方をしている証拠なので、その選択肢は正解になりません。「所」は、逆に、返り点をつける字なので、「所レ」「所ニ」が正解の選択肢です。

① 聖賢之所レ為常如レ此 ⬆返り点◎

② 聖賢之所レ為レ常如レ此 ⬆返り点◎

③ 聖賢之所レ為常如レ此 ⬆返り点◎

④ 聖賢之レ所為レ常如レ此 ⬆「之」に返り点がある／「所」に返り点がない×

⑤ 聖賢之所為常如レ此 ⬆「所」に返り点がない×

返り点に着目して二つ消しました。十分です。十分。次に読みに着目します。

① 聖賢の**為す**所常に此《か》くのごとし。 ⬆**正解**！

② 聖賢**之《これ》**常と**為す**所は**此くのごとくす** ⬆「之」「如此」の読みが不適×

③ 聖賢の**為《ため》にする**所は常に**此《これ》に如《し》く** ⬆「如此」の読みが不適×

④ 聖賢の所に**之《ゆ》きて**常と**為す**は此くのごとし ⬆「之」の読みが不適×

⑤ 聖賢の所 為《ため》に常に**此《これ》に如《し》く** ⬆「如此」の読みが不適×

「為《ため》にす」に注意。定番のひっかけです。「為レ…V」「為V」のとき、「…の**為《ため》にVす**」「**為《ため》にVす**」と読みますが、これらの形以外で「為《ため》に」と読むことは**ごくまれです**。

ポイントチェック

最終問題。いよいよラスボス戦です。ここでは、**最後の設問でいきなり資料が足されるものを用意しました。**

さあ、共通テスト本番をリアルに想像してください。

残り3分。残すは漢文最終問題のみ。よし、時間以内に終わりそうだ。そして開く最終問題のページ。そこには追加の資料が。え？　これ、今から読むの？　マジで？　詰んだ……。

そんな悲劇が、実際に試験会場のあちこちで起きてるはずです。

会話形式問題にせよ、追加資料問題にせよ、本文さえ読んでおけばよかった単純な最終問題と比較して、会話文を読んだり追加資料を読んだりする分、**時間がかかります。**会話形式＋追加資料、かつ枝問×《かける》3なら、もう絶望です。ラスボス最終形態です。共通テストが本気で受験生を刺しに来てます。

というわけで、**漢文を攻める前に、必ず最終問題までざっと見ておきましょう。**

会話や追加資料を見つけたら、時間配分を見直し、最終問題まではいつもより「巻き」で解いて「数分」確保しておきます。

解説

追加資料は、**送り仮名がないときと送り仮名があるとき**があります。今回のように、追加資料が一文程度の場合は、**書き下し問題や解釈問題の傍線部と同じ感覚で、送り仮名を抜いてくる可能性が高いです**。

手順としては、まず追加資料を読んで直訳しておきます。「子曰はく、『知者は惑はず、仁者は憂へず、勇者は懼《おそ》れず』と」＝「孔子は言った、『知者は惑わないし、仁者は憂えないし、勇者は恐れない』と」。

次に**本文の最後数行を本気読みします**。最後の一文は「百世の師（＝永遠の先生）になるべき理由である」。そこからさかのぼって、どういうことなのか理解します。子路は喜んで自分の過ちを聞き、禹は善言に耳を傾け、舜は自分を捨てて人に従い、人の善を学び取ることを楽しんだ、聖賢のすることは常にこのようだ――。**子路・禹・舜といった聖賢は、いつも人からの批判を受け入れ、善言に耳を傾け、自分を捨てて人から善を学ぼうとするから、永遠の先生になっているのだ**、というわけです。

もちろん本文全体を思い出しておく必要はありますが、とりわけこの最後数行の読み取り結果を念頭に選択肢を吟味します。

①……**知者は**道理に明らかで過ちを犯したりはしないので、**人から学ぶ必要はない**。

②……**仁者は**万物の道理に通じ、万事の変化に応ずるから、何も心配する事はない。

③……**勇者は**武勇に優れているからこそ**負け知らずであり**、人と争いがちである。

④……**真の知者は**常に人から善を学ぼうとし、自分に対する批判を喜んで聞くものだ。

⑤……**真の勇者は**決して人とは争おうとはしない点で、**おびえているように見える**。

①は「知者は……人から学ぶ必要はない」で不適。逆です。真の知者は人から学びます。

②は「仁者」でいきなり不適。本文には「仁者（仁愛に厚い者）」は出てきません。かつ「万物の道理」「万事の変化」は、自分一人の力では極めたり応じたりできない、という文脈で出てきます。

③は「勇者は……負け知らず」で不適。勇ある者が、その勇をたのんで人と争えば、ほとんどの場合、負けて死ぬ、と本文は言ってます。

正解は④。最後数行の内容とどんぴしゃで合致しています。

⑤は「真の勇者は決して人と争おうとはしない」も「おびえているように見える」も×。どちらも本文にはありません。そもそも本文の大部分は「知者」を主題にしました。**どうせ「知者」について語ったものが正解でしょ**、くらいの余裕が欲しいです。

読み方

真勇《しんゆう》の者《もの》は其《そ》の勇《ゆう》を恃《たの》まず、真知《しんち》の者《もの》は其《そ》の知《ち》を恃《たの》まず。其《そ》の勇《ゆう》を恃《たの》んで人《ひと》と争《あらそ》へば、敗死《はいし》せざる者《もの》は寡《すく》なし。其《そ》の知《ち》を恃《たの》んで人《ひと》に取《と》らざれば、壅蔽《ようへい》せざる者《もの》は寡《すく》なし。夫《そ》れ一己《いっこ》の聡明《そうめい》は、誠《まこと》に以《もっ》て万物《ばんぶつ》の理《り》を窮《きわ》むるに足《た》らず、一人《いちにん》の才能《さいのう》は、誠《まこと》に以《もっ》て万事《ばんじ》の変《へん》に通《つう》ずること能《あた》はず。故《ゆえ》に知者《ちしゃ》は其《そ》の心常《こころつね》に欲然《かんぜん》として夸言口《こげんくち》より出《い》でず、矜色面《きょうしょくめん》に形《あら》はれず、博《ひろ》く一時《いちじ》の人《ひと》に求《もと》む。書《しょ》に曰《い》はく、「自《みずか》ら用《もち》ふれば則《すなわ》ち小《しょう》なり」と。蓋《けだ》し自《みずか》ら用《もち》ふれば則《すなわ》ち自《みずか》ら盈《み》つと為《な》し、自《みずか》ら盈《み》つれば則《すなわ》ち人之《ひとこれ》に告《つ》ぐるに善《ぜん》を以《もっ》てせず、且《か》つ自《みずか》ら過《あやまち》を聞《き》くを恥《は》づれば、見聞日《けんぶんひ》に狭《せま》くして讒佞日《ざんねいひ》に進《すす》む。己《おのれ》を修《おさ》め人《ひと》を治《おさ》めんと欲《ほっ》すと雖《いえど》も得《う》べけんや。是《こ》れ乃《すなわ》ち其《そ》の知《ち》を恃《たの》むの蔽《へい》なり。子路《しろ》は過《あやま》ちを聞《き》くを喜《よろこ》び、禹《う》は昌言《しょうげん》を拝《はい》し、舜《しゅん》は己《おのれ》を舎《す》てて人《ひと》に従《したが》ひ、人《ひと》の善《ぜん》を取《と》るを楽《たの》しむ。聖賢《せいけん》の為《な》す所常《ところつね》に此《か》くのごとし。是《こ》れ皆《み》な百世《ひゃくせい》の師《し》たるべき所以《ゆえん》なり。

通釈

真の勇者はその勇を頼みにせず、真の知恵者はその知を頼みにしない。武勇に自信があるからといってあちこちで人と戦っていたら、だいたいそのうち敗死する。知恵に自信があるからといって人から学ぼうとしなかったら、人がいいことを言っていてもだいたい聞き入れられない。そもそもいくら聡明でも、自分一人では本当に万物の理を極めるには不十分であり、どれだけ才能豊かでも、本当に一人では万物の変化に通ずることなどできない。だから知恵者は、その心はいつも飽き足らず、自慢話は口から出ず、驕った様子が顔にあらわれず、同時代の人々に広く意見を求めるのだ。『書経』に「自ら用ふれば則ち小なり」とある。思うに、自らの能力を頼んで何事も自分でするならば、自分は自分一人で十分だと思い、自分一人で十分ならば、人はそのような人間に善言を与えず、そのうえ自分で自分の過ちを聞くのを恥じるようであれば、見識は日々狭くなり、中傷やへつらいの類が日々集まるようになる。（それでは）己を修め人を治めたいと思ってもできるわけがない。これこそ自分の知を頼みにすることの弊害である。（孔子の弟子で賢人の）子路は喜んで自分の過ちを（指摘する言葉を）聞き、（聖人の）禹は人の善言に耳を傾け、（聖人の）舜は自分を捨てて人に従い、楽しんで人から善を学び取った。聖人・賢人は常にこのようにふるまった。これこそ（子路・禹・舜ら聖賢が）いずれも百世にわたって師である理由なのである。

【資料】

【書き下し文】

子曰《しいは》く、「知者《ちしゃ》は惑《まど》はず、仁者《じんしゃ》は憂《うれ》へず、勇者《ゆうしゃ》は懼《おそ》れず」と。

通釈

孔子が言った、「知者は惑わないし、仁者は憂えないし、勇者は恐れない」と。

以上で模擬戦二連戦も終了です。いかがでしたか?

共通テストは、現代文3問、古文1問、漢文1問の計五問。試験時間は九〇分。配点は現代文一一〇点、古文四十五点、漢文四十五点、時間配分は、現代文五〇分弱、古漢四〇分強。機械的に計算すれば、漢文に二〇分程度費やせます。

ただ、現代文や古文に時間をかけたいなら、目標は**一〇分で満点**です。

模擬戦第一戦では、枝問含めて全七問中三問が知識で瞬殺できました。残り四問のうち二問は詩に関する問題で、こちらも詩のルールや文学史の知識で解くもの。解釈問題は知識でいきなり二択にできました。最終問題は会話形式で、さすがに時間を取られます。でも、だからこそ、知識で解ける問題は知識で解いて時間を稼ぐわけです。

模擬戦第二戦では、ならでは語、熟語錬金術、別字変換、反語・二重否定の言いかえ、句形、対句の処理といった**スゴ技を駆使して解く問題をそろえました**。十時間かけて身につけたスゴ技を、皆さんがここで縦横に駆使できていたらいいなと望んでいます。着眼点さえわかれば、難しく感じた選択肢も簡単に消せる感じを体験してみてください。

さあ、あとは実戦を繰り返して経験値を稼ぐのみ。過去問や実践問題集を相手に、腕磨きに励むのです。

おわりに

お疲れさまでした！

10時間、たっぷりトレーニングをしてきました。達成感とともにここを読んでいるあなたは、すっかり関羽《かんう》並みの名将に生まれ変わっていることでしょう。

句形と副詞は受験漢文攻略の二本柱です。しっかり頭に叩きこんでおいてください。一緒に共通テストを受けるライバルたちは、句形の知識すらうろ覚えのまま、まして副詞に至ってはろくに暗記をすることもなく本番にのぞんでいます。そのせいで、選択肢を何度も何度も見て、かえって何が答えなのかわからなくなる、というワナにはまります（結局、時間を浪費して、タイムアップギリギリ、テキトーに選択肢を選んで、自爆します）。

句形と副詞の知識という二つの武器をしっかり装備したあなたは、知識を生かして数々の問題を瞬殺し、本気読みが必要な最終問題にじっくり取り組んで、**満点**をもぎとることでしょう。

さあ、これからもトレーニングを欠かさず、本番まで突っ走ってください！

「共通テスト漢文」では、句形が大事！　知らないとアレコレ迷って不正解を選んでしまう問題も、これさえ知っていれば瞬殺できる。メインの武器になるんだ。重要なものだけを厳選してあるから、しっかり覚えよう！

それ以外にも、「重要語」として「副詞」のほか「ならでは語」と「多訓多義語」「故事成語」も収録。「句形」に負けない強い武器となるぞ。これをマスターして、ライバルに差をつけろ！

チェック		句形	読み	訳
再読文字				
□	1	未レ―	未《いま》だ―せず	まだ―しない
□	2	将レ―／且レ―	将《まさ》に―せんとす／且《まさ》に―せんとす	―しようとしている
□	3	当レ―／応レ―	当《まさ》に―すべし／応《まさ》に―すべし	―しなければならない・―するだろう
□	4	須レ―	須《すべか》らく―すべし	―しなければならない・―する必要がある
□	5	宜レ―	宜《よろ》しく―すべし	―した方がよい
□	6	猶レ―	猶《な》ほ―のごとし	まるで―と同じだ・まるで―のようだ
□	7	盍レ―	盍《なん》ぞ―せざる	どうして―しないのか・―すればよいのに
存在				
□	8	―有レ…	―（に）…有《あ》り	―に…がある／―が…する
□	9	―無レ…／―莫レ…	―（に）…無《な》（莫《な》）し	―に…はない／―は…しない
二重否定				
□	10	無レ不二―一／莫レ不二―一	―せざる（は）無《な》（莫《な》）し	―しないことはない＝必ず―する
□	11	非レ不二―一	―せざるに非《あら》ず	―しないわけではない＝―する
□	12	不レ可レ不二―一	―せざるべからず	―しないわけにはいかない
□	13	不レ得レ不二―一	―せざるを得ず	―しないわけにはいかない

区分	チェック		句形	読み	訳
二重否定	□	14	未㆔嘗不㆓—㆒	未《いま》だ嘗《かつ》て—せずんばあらず	—しなかったことはない＝ずっと—してきた
	□	15	未㆔必不㆓—㆒	未《いま》だ必《かなら》ずしも—せずんばあらず	必ずしも—しないわけではない＝—する場合もある
	□	16	不㆔敢不㆓—㆒	敢《あ》へて—せずんばあらず	—しないわけにはいかない＝必ず—する
	□	17	不㆓—㆒不㆓…㆒	—せざれば…せず	—しなければ…しない
	□	18	非㆓—㆒不㆓…㆒	—に非《あら》ざれば…せず	—でなければ…しない
部分否定	□	19	不㆓必—㆒	必《かなら》ずしも—せず	必ずしも—するとは限らない・—する必要はない
	□	20	不㆓常—㆒	常《つね》には—せず	いつも—するわけではない
	□	21	不㆓復—㆒	復《ま》た—せず	二度と—しない
	□	22	不㆓倶—㆒	倶《とも》には—せず	二人とも—することはない（一方だけ—する）
	□	23	不㆓尽—㆒	尽《ことごと》くは—せず	すべて—するわけではない
	□	24	不㆓甚—㆒	甚《はなは》だしくは—せず	それほど—ではない
	□	25	不㆓重—㆒	重《かさ》ねては—せず	ふたたび—することはない

	チェック	句形	読み	訳
否定（その他）	□ 26	勿レ―	―する勿《な》かれ	―してはいけない（禁止）
	□ 27	不二敢―一	敢《あ》へて―せず	わざわざ―したりしない・―する勇気がない
	□ 28	敢不二―一（乎）	敢《あ》へて―せざらんや	―しないことなどあろうか（反語）＝―しないわけにはいかない
	□ 29	不二肯―一	肯《あ》へて―せず	進んで―する気にならない
	□ 30	不レ肯レ―	―するを肯《がへん》ぜず	―することに賛成しない
可能	□ 31	可レ―	―すべし	―できる・―した方がよい・―しなければならない
	□ 32	不レ可レ―	―すべからず	―できない・―してはいけない
	□ 33	能―	能《よ》く―す	―できる
	□ 34	不レ能レ―	―する能《あた》はず	―できない
	□ 35	得レ―／得而―	―するを得《う》（得《え》たり）／得《え》て―す	―できた
	□ 36	不レ得レ―／不二得而―一	―するを得《え》ず／得《え》て―せず	―できない

	チェック	句形	読み	訳
可能	□ ㊲	足レ―	―するに足《た》る	―できる／―に十分だ
	□ ㊳	不レ足レ―	―するに足《た》らず	―できない／―するほどでもない
受身	□ ㊴	見レ―／被レ―	―せらる	―される
	□ ㊵	為二―所レ…	―の…する所と為《な》る	―に…される
使役	□ ㊶	使二―…一／令二―…一	―をして…せしむ	―に…させる
	□ ㊷	命二―一…	―に命《めい》じて…せしむ	―に命令して…させる
	□ ㊸	遣二―一…	―を遣《つか》はして…せしむ	―を派遣して…させる
		※㊷・㊸の句形は、ほか「呼《よビテ》・詔《みことのりシテ》・召《めシテ》・説《とキテ》・勧《すすメテ》」など。文意で判断。		
疑問・反語	□ ㊹	何―（乎）	何《なん》ぞ―する（や）	なぜ―するのか（疑問）
	□ ㊺	何―（乎）	何《なん》ぞ―せん（や）	どうして―しようか（反語）＝―しない
		何《なんゾ》＝胡《なんゾ》・奚《なんゾ》　乎《や》＝邪《や》・耶《や》・哉《や》・也《や》・与《や》・歟《や》　※ほか「何《なに》をか」「何《なん》の」「何《いづ》れの」「何《いづ》くに」		
	□ ㊻	何不レ―	何《なん》ぞ―せざる	なぜ―しないのか、―すればよいのに
	□ ㊼	安―（乎）	安《いづ》くにか―する（や）	どこで―するのか（疑問）

疑問・反語

チェック	句形	読み	訳
□	㊽ 安―（乎）	安《いづ》くんぞ―せん（や）	どうして―しようか（反語）＝―しない
	安＝悪・焉・寧　※焉・寧は「いづくんぞ」or「なんぞ」。反語で用いる。		
□	㊾ 豈―（乎）	豈《あ》に―するか	―ではなかろうか（推量）
□	㊿ 豈―（乎）	豈《あ》に―せんや	どうして―しようか（反語）＝―しない
	※何・安・豈は、反語かどうかの区別がポイント（区別の方法は091～100ページ）。		
□	51 孰―（乎）	孰《いづ》れか―（や）	どちらが―（疑問・反語）
□	52 孰―（乎）	孰《たれ》か―（や）	誰が―（疑問・反語）
□	53 誰―（乎）	誰《たれ》か―（や）	誰が―（疑問・反語）
□	54 其―乎	其《そ》れ―せんや	どうして―しようか（反語）＝―しない
□	55 何也	何《なん》ぞや	どうしてか
□	56 幾何	幾何《いくばく》ぞ	どれくらいか（疑問）・たかが知れている（反語）
□	57 何如・何若・何奈	何如《いかん》・何若《いかん》・何奈《いかん》	どのようか
□	58 如何・若何・奈何	如何《いかん》せん・若何《いかん》せん・奈何《いかん》せん	どうしようか（疑問）・どうしようもない（反語）

チェック	句形	読み	訳
疑問・反語			
□ 59	如何・若何・奈何	**如何《いかん》ぞ・若何《いかん》ぞ・奈何《いかん》ぞ**	どうして―しようか（反語）＝しない
	※「いかんせん」は、目的語を間にはさむこともある。たとえば、「如㆓王不㆑好何」の形をとる。「王不㆑好」が目的語で、「王の好まざるを如何せん」と読む。また、「如何《いかん》せん」と「如何《いかん》ぞ」は、位置で見分けられる。文末にあったら「如何せん」、文頭にあったら「如何ぞ」。		
反語（詠嘆）			
□ 60	不㆓亦―㆒乎	**亦《ま》た―ならずや**	なんと―ではないか
□ 61	豈不㆑―乎	**豈《あ》に―ならずや**	なんと―ではないか
□ 62	豈不㆑―乎（参考）	**豈《あ》に―せざらんや**	どうして―しないことがあろうか＝する
□ 63	豈非㆑―乎	**豈《あ》に―に非《あら》ずや**	なんと―ではないか
□ 64	不―乎	**―ずや**	―ではないか
比況・比較			
□ 65	―如㆑…／―若㆑…	**―は（こと）…のごとし**	―はまるで…のようだ・―は…と同じだ
□ 66	不㆑如㆑―／不㆑若㆑―	**―に如《し》かず／―に若《し》かず**	―に及ばない・―した方がよい
□ 67	無㆑如㆑―／無㆑若㆑―	**―に如《し》くは無《な》し／―に若《し》くは無《な》し**	―に及ぶものはない・―がいちばんだ
□ 68	寧―	**寧《むし》ろ―せん（せよ）**	いっそ―の方がよい
□ 69	寧―勿㆑…	**寧《むし》ろ―するも…する勿《な》かれ**	…するくらいなら―した方がよい

チェック		句形	読み	訳
限定・累加	□ 70	唯―（耳） 唯《たダ》＝惟《たダ》・只《たダ》・但《たダ》・直《たダ》・特《たダ》・徒《たダ》　耳《のみ》＝而已《のみ》・已《のみ》・爾《のみ》	唯《た》だ―（のみ）	ただ―だけだ（限定）
	□ 71	独―（耳）	独《ひと》り―（のみ）	ただ―だけだ（限定）
	□ 72	不㆓唯―㆒	唯《た》だに―のみならず	―だけではない・―どころではない
	□ 73	非㆓唯―㆒	唯《た》だに―のみにあらず	―だけではない・―どころではない
	□ 74	不㆓独―㆒	独《ひと》り―のみならず	―だけではない・―どころではない
	□ 75	非㆓独―㆒	独《ひと》り―のみにあらず	―だけではない・―どころではない
	□ 76	豈唯―	豈《あ》に唯《た》だに―のみならんや	どうして―だけということがあろうか（反語）＝―だけではない・―どころではない
	□ 77	豈独―／何独―	豈《あ》に（何《なん》ぞ）独《ひと》り―のみならんや	どうして―だけということがあろうか（反語）＝―だけではない・―どころではない
抑揚	□ 78	A猶（且）B、況C（乎）	Aすら猶《な》ほ（且《か》つ）B、況《いは》んやCをや	AでさえBだ、ましてCならなおさらBだ
	□ 79	―（之）所㆑…（者・体言）	―の…する所《ところ》（の者《もの》・体言）	―が…すること（もの・ひと・体言）

	チェック	句形	読み	訳
抑揚	□ 80	体言 之―	体言 の―	体言 の―
	□ 81	用言レ之―	之《これ》を（に・と）用言 す	これ（彼・彼女）を（に・と）用言 する
その他	□ 82	以レ―用言	―を以《もっ》て 用言 す	―によって 用言 する（方法・手段） ―のせいで 用言 する（原因・理由） ―を 用言 する（目的語の強調）
	□ 83	用言 以レ―	用言 するに―を以《もっ》てす	訳は 82 と同じ
	□ 84	用言 以 用言	用言 して以《もっ》て 用言 す	用言 して 用言 する
	□ 85	以レ―為レ…	―を以《もっ》て…と為《な》す	―を…にする・―を…と見なす
	□ 86	以為―	以為《おも》へらく―と・以《もっ》て―と為《な》す	―と思う
	□ 87	与レ―…	―と…す・―と与《とも》に…す	―と…する（with の「と」）
	□ 88	―与レ…	―と…と	―と…と（and の「と」）
	□ 89	欲レ―	―せんと欲《ほっ》す	―しようとする・―したいと思う
	□ 90	―如レ此（若レ此）	―（すること）此《か》くのごとし	このように―・―はこのようだ

副詞

チェック	語句	読み	訳
□ 1	甚	甚《はなは》だ	非常に・とても
□ 2	太	太《はなは》だ	非常に・とても
□ 3	尤	尤《もっと》も	とりわけ・何よりも
□ 4	殊	殊《こと》に	とりわけ
□ 5	至	至《いた》って	非常に・このうえなく
□ 6	皆	皆《みな》	すべて
□ 7	尽	尽《ことごと》く	すべて
□ 8	勝	勝《あ》げて	すべて
□ 9	具	具《つぶさ》に	すべて・くわしく
□ 10	一	一《いっ》に	みな・一様に・まったく・専ら
□ 11	凡	凡《およ》そ	おおよそ・すべて
□ 12	嘗	嘗《かつ》て	以前に
□ 13	曽	曽《かつ》て	以前に
□ 14	已	已《すで》に	もうーしている
□ 15	暫	暫《しばら》く	少しの間
□ 16	姑	姑《しばら》く	とりあえず

チェック	語句	読み	訳
□ 17	須臾	須臾《しゅゆ》にして	わずかの間
□ 18	遂	遂《つひ》に	そうして・そのまま
□ 19	竟	竟《つひ》に	結局
□ 20	終	終《つひ》に	最後には・最後まで
□ 21	卒	卒《つひ》に	最後には
□ 22	忽	忽《たちま》ち	いつのまにか
□ 23	卒	卒《には》かに	急に
□ 24	遽	遽《には》かに	急に
□ 25	徐	徐《おもむろ》に	静かに・ゆっくりと
□ 26	方	方《まさ》に	ちょうどーしているところ
□ 27	猶	猶《な》ほ	まだ・やはり
□ 28	尚	尚《な》ほ	そのうえ・まだ・やはり
□ 29	且	且《か》つ	そのうえ
□ 30	将	将《は》た	あるいは・それとも
□ 31	蓋	蓋《けだ》し	思うに
□ 32	果	果《は》たして	思った通り・実際に

チェック	語句	読み	訳
□ ㉝	其	其《そ》れ	そもそも・なんと
□ ㉞	夫	夫《そ》れ	そもそも
□ ㉟	抑	抑《そもそも》	しかしながら・あるいは
□ ㊱	愈	愈《いよいよ》	ますます
□ ㊲	益	益《ますます》	ますます
□ ㊳	偶	偶《たまたま》	偶然
□ ㊴	適	適《たまたま》	ちょうど
□ ㊵	会	会《たまたま》	ちょうど
□ ㊶	数	数《しばしば》	何度も
□ ㊷	交	交《こもごも》	かわるがわる
□ ㊸	固	固《もと》より	もともと・当然
□ ㊹	故	故《もと》より	もともと・前から
□ ㊺	素	素《もと》より	もともと・普段
□ ㊻	毎	毎《つね》に	いつも
□ ㊼	漸	漸《やうや》く	だんだんと
□ ㊽	稍	稍《やや》	少しばかり・だんだんと

チェック	語句	読み	訳
□ ㊾	絶	絶《た》えて	決して（—ない）
□ ㊿	殆	殆《ほとん》ど	もう少しで・あやうく
□ 51	幾	幾《ほとん》ど	もう少しで・あやうく
□ 52	或	或《ある》いは	場合によっては
□ 53	反	反《かへ》つて	逆に
□ 54	誠	誠《まこと》に	本当に
□ 55	審	審《つまび》らかに	詳しく
□ 56	善	善《よ》く	上手に
□ 57	妄	妄《みだ》りに	むやみに・いい加減に
□ 58	徒	徒《いたづ》らに	無駄に・意味もなく
□ 59	因	因《よ》りて	そこで
□ 60	故	故《ゆゑ》に	そこで
□ 61	故	故《ことさ》らに	わざと
□ 62	則	則《すなは》ち	ならば・なので
□ 63	乃	乃《すなは》ち	そこで・ようやく・なんと
□ 64	即	即《すなは》ち	すぐ・ほかでもなく

チェック	語句	読み	訳
□ 65	便	便《すなは》ち	すぐ・ほかでもなく
□ 66	輒	輒《すなは》ち	そのたびごとに
□ 67	又	又《また》	そのうえ
□ 68	亦	亦《ま》た	同じように・やはり
□ 69	復	復《ま》た	もう一度
□ 70	若	若《も》し	もし
□ 71	苟	苟《いや》しくも	もし・いいかげんに
□ 72	縦	縦《たと》ひ	たとえ―だとしても
□ 73	雖レ―ト	―と雖《いへど》も	けれども・としても
□ 74	自	自《みづか》ら	自分で・自分を
□ 75	自	自《おのづか》ら	自然と・勝手に
□ 76	親	親《みづか》ら	自分で
□ 77	相	相《あひ》	相互に・相手を
□ 78	願	願《ねが》はくは	―したい・―してほしい
□ 79	庶幾	庶幾《こひねが》はくは	―したい・―してほしい
□ 80	毎レ―	―する毎《ごと》に	―するたびに

チェック	語句	読み	訳
□ 81	未レ幾	未《いま》だ幾《いくばく》ならずして	まもなく
□ 82	無レ幾	幾《いくばく》も無《な》くして	まもなく
□ 83	於レ是	是《ここ》に於《お》いて	そこで
□ 84	是以	是《ここ》を以《もつ》て	そこで
□ 85	自レ是	是《これ》より	それから
□ 86	如レ是	是《か》くのごとし	このようだ
□ 87	然則	然《しか》らば則《すなは》ち	そうであるならば
□ 88	然後	然《しか》る後《のち》に	そののち
□ 89	然而	然《しか》り而《しかう》して	そして・しかし
□ 90	雖レ然	然《しか》りと雖《いへど》も	そうとはいっても
□ 91	不レ然	然《しか》らず	そうではない
□ 92	所謂	所謂《いはゆる》	世に言う
□ 93	所以	所以《ゆゑん》	理由・手段
□ 94	何為	何為《なんす》れぞ	どうして
□ 95	何以	何《なに》を以《もつ》て（か）	どうして・どうやって

ならでは語

チェック	語句	読み	訳
□ 96	君子	君子《くんし》	道徳的に立派な人物
□ 97	小人	小人《せうじん》	ちっぽけな人物
□ 98	匹夫	匹夫《ひつぷ》	つまらない人物
□ 99	丈夫	丈夫《ぢやうふ》	立派な男子
□ 100	大丈夫	大丈夫《だいぢやうふ》	立派な男子
□ 101	士	士《し》	優れた人材
□ 102	相	相《しやう》	宰相《さいしやう》
□ 103	臣	臣《しん》	臣下・わたし
□ 104	天子	天子《てんし》	皇帝（古代は周王など）
□ 105	左右	左右《さいう》	側近・そば
□ 106	上	上《しやう》	皇帝・王・諸侯
□ 107	下	下《しも》	下々・民衆・人民
□ 108	社稷	社稷《しやしよく》	国家
□ 109	京師	京師《けいし》	みやこ
□ 110	城	城《しろ》	まち
□ 111	布衣	布衣《ほい》	無官の人

チェック	語句	読み	訳
□ 112	為レ人	人と為《な》り	人間性・人柄・性格
□ 113	百姓	百姓《ひやくせい》	人民
□ 114	人間	人間《じんかん》	人間世界・世間
□ 115	鬼	鬼《き》	祖霊・幽霊・物怪《もののけ》
□ 116	寡人	寡人《くわじん》	わたし（王・諸侯の自称）
□ 117	朕	朕《ちん》	わたし（皇帝の自称）
□ 118	余／予	余《よ》／予《よ》	わたし
□ 119	子	子《し》	あなた
□ 120	夫子	夫子《ふうし》	先生・あなた
□ 121	卿	卿《けい》	あなた
□ 122	客	客《かく》	旅人・客人
□ 123	学者	学者《がくしや》	学生
□ 124	書	書《しよ》	手紙・書物
□ 125	朝	朝《ちやう》	朝廷
□ 126	声	声《せい》	名声・音声
□ 127	裏	裏《うら》	内側

チェック	語句	読み	訳
□ 128	与	与《あづか》る	関与する
□ 129	与	与《くみ》す	味方する
□ 130	与	与《とも》に	一緒に
□ 131	為	―と為《な》す	―と見なす
□ 132	為	―を為《な》す	―を行う
□ 133	為	―と為《な》る	―になる
□ 134	為	―たり	―である
□ 135	為	為《つく》る	作る（作為）
□ 136	為	為《をさ》む	治める・治す
□ 137	為	為《ため》に	―のために
□ 138	之	之《ゆ》く	行く
□ 139	已	已《や》む	終わる・それまでだ
□ 140	中	中《あ》つ	当てる（命中）
□ 141	中	中《あ》たる	当たる（命中）
□ 142	説	説《よろこ》ぶ	喜ぶ（喜悦）
□ 143	悪	悪《にく》む	憎悪する（憎悪）

チェック	語句	読み	訳
□ 144	疾	疾《にく》む	憎悪する（疾悪）
□ 145	疾	疾《やまひ》	疾病
□ 146	疾	疾《はや》し	速い（疾駆）
□ 147	道	道《い》ふ	言う（報道）
□ 148	道	道《みちび》く	導く
□ 149	致	致《いた》す	送る（送致）・招く（招致）
□ 150	去	去《さ》る	取り去る（除去）
□ 151	就	就《つ》く	近づく（去就）
□ 152	就	就《な》る・就《な》す	成る・成す（成就）
□ 153	待	待《ま》つ	扱う（待遇）
□ 154	遺	遺《のこ》す	残す（遺産）
□ 155	遺	遺《す》つ	捨てる（遺棄）
□ 156	遺	遺《わす》る	忘れる（遺失）
□ 157	遺	遺《おく》る	贈る（遺贈）
□ 158	事	事《つか》ふ	お仕えする
□ 159	事	事《こと》とす	専念する・従事する

チェック		語句	読み	訳
□	160	作	作《な》す	する（動作）
□	161	作	作《な》る	なる（作為）
□	162	作	作《おこ》る	起こる（発作）
□	163	発	発《ひら》く	開く（開発・発明）
□	164	発	発《おこ》す・発《おこ》る	起こす・起こる（発起・発生）
□	165	発	発《はっ》す	出す（出発・発射）
□	166	負	負《そむ》く	裏切る（負反）
□	167	負	負《たの》む	頼る（自負）
□	168	過	過《す》ぐ	過ぎ去る（過去）
□	169	過	過《す》ぐ	度を越す（超過）
□	170	過	過《あやま》ち・過《あやま》つ	あやまち・失敗する（過失）
□	171	過	過《よぎ》る	立ち寄る
□	172	辞	辞《じ》す	ことわる（辞退）
□	173	辞	辞《じ》す	辞める（辞職）
□	174	辞	辞《じ》す	別れを告げる（辞去）
□	175	謝	謝《しゃ》す	ことわる（謝絶）

チェック		語句	読み	訳
□	176	謝	謝《しゃ》す	あやまる（陳謝）
□	177	謝	謝《しゃ》す	礼を言う（感謝）
□	178	謝	謝《しゃ》す	去る（代謝）
□	179	望	望《のぞ》む	遠くを見る（眺望）
□	180	造	造《いた》る	とどく（造詣）
□	181	詣	詣《いた》る	とどく（造詣）
□	182	見	見《まみ》ゆ	お目通りする（謁見）
□	183	見	見《あらは》す・見《あらは》る	現す・現れる
□	184	愛	愛《いつく》しむ	慈しむ（慈愛）
□	185	愛	愛《を》しむ	惜しむ（惜愛）
□	186	衆	衆《しゅう》	民衆
□	187	衆	衆《おほ》し	多い
□	188	寡	寡《すく》なし	少ない
□	189	少	少《わか》し	若い
□	190	対	対《こた》ふ	答える
□	191	知	知《ち》たり	知事として治める

チェック	語句	意味
□ 192	朝三暮四《ちょうさんぼし》	内容を改めないで口先だけでごまかすこと。
□ 193	呉越同舟《ごえつどうしゅう》	仲の悪いもの同士、敵味方が同じ場所に居合わせること。
□ 194	臥薪嘗胆《がしんしょうたん》	復讐のため、また目的達成のために、苦労すること。
□ 195	捲土重来《けんどちょうらい》	一度失敗したものが猛烈な勢いで盛り返すこと。
□ 196	明鏡止水《めいきょうしすい》	なんのわだかまりもない静かな心境。
□ 197	知音《ちいん》	親友。知人。恋人。
□ 198	断琴《だんきん》の交わり	親密な交友。
□ 199	刎頸《ふんけい》の交わり	親密な交友。
□ 200	水魚《すいぎょ》の交わり	親密な交友。
□ 201	管鮑《かんぽう》の交わり	親密な交友。
□ 202	鶏口牛後《けいこうぎゅうご》	大きな団体で人の尻につくよりも、小さな団体の頭になった方がよい。
□ 203	羊頭狗肉《ようとうくにく》	表面と内容が食い違うこと。
□ 204	烏合《うごう》の衆	まとまりのない群衆。

チェック	語句	意味
□ 205	馬耳東風《ばじとうふう》	人の意見や批評を聞き流すこと。
□ 206	塞翁《さいおう》が馬	人生の禍福は転々として予測できないこと。
□ 207	禍福《かふく》は糾《あざな》える縄のごとし	幸福と不幸は交互にやってくること。
□ 208	太公望《たいこうぼう》	釣り人。
□ 209	宋襄《そうじょう》の仁	無用の情け。
□ 210	背水《はいすい》の陣《じん》	一歩も退けない絶体絶命の立場で事にあたること。
□ 211	漁夫《ぎょふ》の利	両者が争っている隙につけいり、第三者が利益を得ること。
□ 212	無用の用	役に立たないとされるものが実は役に立っていること。
□ 213	糟糠《そうこう》の妻	長い間、貧しい生活をして苦労をともにしてきた妻。
□ 214	出藍《しゅつらん》の誉《ほま》れ	弟子が師よりも優れていること。
□ 215	株《しゅ》を守って兎《うさぎ》を待つ	古い習慣にこだわり、臨機応変に対応できないこと。また進歩がないこと。

チェック		語句	意味
□	216	琴柱《ことじ》に膠《にかわ》す	物事にこだわって、臨機応変に対応できないこと。融通がきかないこと。
□	217	船に刻みて剣を求む	古い習慣にこだわり、時勢に応じられないこと。
□	218	推敲《すいこう》	詩や文章を作るときに、その表現をよく練ること。
□	219	完璧《かんぺき》	①大事なことを全うする。②完全無欠なさま。
□	220	杞憂《きゆう》	無用な心配。
□	221	断腸《だんちょう》	強い悲しみ。
□	222	杜撰《ずさん》	①典拠が不正確でデタラメな文章。②いいかげんなこと。
□	223	逆鱗《げきりん》	目上の人の怒り。
□	224	折檻《せっかん》	①厳しく意見すること。②強く責め叱ること。
□	225	画餅《がべい》	実際の役に立たないもの。
□	226	隗《かい》より始めよ	①遠大な計画も、手近なところから始めよ。②言い出したものから始めよ。
□	227	琴瑟相和《きんしつあいわ》す	夫婦が仲睦まじいこと。

チェック		語句	意味
□	228	偕老同穴《かいろうどうけつ》	夫婦が仲睦まじいこと。
□	229	比翼連理《ひよくれんり》	夫婦が仲睦まじいこと。
□	230	卵翼《らんよく》の恩《おん》	父母から大切に育てられた恩。

著者からのメッセージ

人事を尽くし
天命を待つ

やるべきこと、今やれることに
集中せよ

事 小なりと雖も
為さずんば成らず

どんなに小っぽけなことでも
やらなきゃ 終わらない

寺師　貴憲（てらし　たかのり）

　息子と娘と漢文をこよなく愛する予備校講師。大学院時代の専攻は中国古代史。孫子や呉子などの軍事思想と当時の軍事制度を学んでいた。孫子百家の文献を通して漢文を読むスキルを身につける。現在は、駿台予備学校で漢文・世界史・小論文の講義を担当。東進ハイスクールでも漢文の講義を担当している。仙台を根拠地に、平日の半分は関東に出張し、多忙な日々を送る。

「どうせ取るなら満点。どうせ合格するなら首席で」をモットーに、満点を取るための講義を心がけている。共通テストの解法はきわめて正攻法で、やるべきことをきちんとやれば、誰でも満点は取れると豪語する。

　著書に、『寺師の漢文をはじめからていねいに』（ナガセ）、『改訂版 答案添削例から学ぶ 合格できる小論文 できない小論文』『中国古典の名著50冊が１冊でざっと学べる』（以上、KADOKAWA）、『一読でわかる世界史Ｂ講義１ 前近代史 アジア・アフリカ編』『一読でわかる世界史Ｂ講義２ 前近代史 欧米編』（以上、駿台文庫）などがある。

改訂版《かいていばん》　最短《さいたん》10時間《じかん》で９割《わり》とれる
共通《きょうつう》テスト漢文《かんぶん》のスゴ技《わざ》

2024年11月１日　初版発行
2024年12月５日　再版発行

著者／寺師《てらし》 貴憲《たかのり》

発行者／山下 直久

発行／株式会社KADOKAWA
〒102-8177　東京都千代田区富士見2-13-3
電話 0570-002-301（ナビダイヤル）

印刷所／株式会社加藤文明社

製本所／株式会社加藤文明社

●お問い合わせ
https://www.kadokawa.co.jp/（「お問い合わせ」へお進みください）
※内容によっては、お答えできない場合があります。
※サポートは日本国内のみとさせていただきます。
※Japanese text only

定価はカバーに表示してあります。

ISBN 978-4-04-606667-1　C7081